CB139944

COMO LIDAR COM A SOGRA

GARY CHAPMAN

COMO LIDAR COM A SOGRA

E SOGRO, CUNHADOS, GENROS, NORAS...

Traduzido por OMAR DE SOUZA

MC
mundocristão
São Paulo

Editora responsável: Silvia Justino
Supervisão editorial: Ester Tarrone
Assistente editorial: Miriam de Assis
Revisão: Rosângela Ducati
Coordenação de produção: Lilian Melo
Colaboração: Pâmela Moura

Os textos das referências bíblicas foram extraídos da *Nova Versão Internacional* (NVI), da Sociedade Bíblica Internacional, salvo indicação específica.

Chapman, Gary

Como lidar com a sogra / Gary Chapman; tradução de Omar de Souza. —
São Paulo: Mundo Cristão, 2009.

Título original: In-Law Relationships.
ISBN 978-85-7325-573-7

1. Família — Aspectos religiosos — Cristianismo 2. Sogras — Relações com a família
I. Título.

08-12444 CDD-649.78

Índice para catálogo sistemático:
1. Sogra: Relações: Vida familiar 648.78
Categoria: Casamento

Publicado no Brasil com todos os direitos reservados por:
Editora Mundo Cristão
Rua Antônio Carlos Tacconi, 79, São Paulo, SP, Brasil, CEP 04810-020
Telefone: (11) 2127-4147
Home page: www.mundocristao.com.br

1ª edição: abril de 2009

Sumário

Apresentação

Por trinta anos, muitas pessoas apareceram em meu escritório, sentaram-se e começaram a compartilhar as lutas que enfrentavam com a família do cônjuge. Eu as ouvia dizer:

- "Minha cunhada está me deixando maluca. Ela quer me ensinar como criar meus filhos, mas nem casada é! O que ela sabe sobre a maternidade?"
- "Minha sogra e minhas cunhadas me deixam de fora de tudo. Elas se encontram para tomar café todo sábado e nunca me convidam para acompanhá-las. Sabem que minha mãe e minhas irmãs moram a quase mil quilômetros de mim. Sinto-me excluída daquelas coisinhas de mulher que elas fazem juntas."
- "Quando meu sogro chega para jantar, só fala sobre esportes, o trabalho dele ou as coisas que leu no jornal. Ele nunca pergunta nada sobre a nossa vida e parece não ter o menor interesse em nós em termos emocionais."
- "Meu cunhado tenta controlar meu marido. Ele é cinco anos mais velho e talvez tenha passado a vida inteira fazendo isso, mas eu não gosto."
- "Na prática, nosso genro seqüestrou nossa filha. Desde que os dois se casaram, ele se recusa a permitir que ela participe dos encontros de família."

- "Quando os pais de minha esposa nos convidam para sua casa, sempre incluem todos os filhos deles com as respectivas famílias. Pelo menos uma vez, eu gostaria que eles nos recebessem apenas como um casal."
- "Os pais de minha esposa dão dinheiro para que ela compre coisas que não podemos. Isso me aborrece. Eu preferia que eles nos deixassem cuidar de nossa vida."
- "A mãe de meu marido vive querendo me ensinar a cozinhar. Durante os cinco anos anteriores ao meu casamento, eu já fazia a minha comida. Acho que sei muito bem preparar uma refeição. Não preciso da ajuda de minha sogra."
- "É complicado convidar apenas meu cunhado e minha cunhada para fazer alguma coisa. Minha sogra é divorciada, e nos sentimos obrigados a incluí-la nesses programas."
- "Os pais de meu marido simplesmente aparecem de repente, sem avisar. Às vezes, estou no meio de um projeto que preciso terminar. Gostaria que eles respeitassem nossa agenda."

Talvez você tenha algumas reclamações pessoais para adicionar a essa lista. Os problemas com os parentes do cônjuge costumam se concentrar em questões relacionadas ao controle, à interferência, à inconveniência e ao conflito de valores e tradições. O propósito deste livro é oferecer idéias práticas sobre como enfrentar essas lutas e construir relacionamentos saudáveis.

Quando as pessoas se casam, elas não se unem apenas uma à outra; também se casam com uma família mais ampla, que consiste no sogro, na sogra e, talvez, nos cunhados. Esses parentes por extensão podem ser encontrados em todos os tipos, tamanhos e personalidades. Eles carregam uma história de tradições familiares e maneiras de se relacionar. Não importa o que precisamos dizer a respeito de famílias, em uma coisa temos de concordar: cada uma é diferente da outra. Essas diferenças costumam gerar dificuldades de ajuste.

Se formos capazes de promover esses ajustes, podemos desenvolver relações saudáveis com os parentes do cônjuge. Caso contrário, essas pessoas se transformam em um problema dos grandes. O relacionamento com os pais (sejam os dele ou os dela) é a área em que os conflitos são mais comuns.

Segundo o plano de Deus, os parentes do cônjuge não deveriam constituir um fator de divisão na família. Em tese, teriam a responsabilidade de oferecer apoio. A liberdade e a harmonia são ideais bíblicos para o relacionamento com os parentes do cônjuge. Para alcançar esse objetivo, o casamento deve seguir sobre duas trilhas paralelas: separar-se dos pais e dedicar-se a eles.

Separar-se dos pais

As Escrituras afirmam: "Por essa razão, o homem deixará pai e mãe e se unirá à sua mulher, e eles se tornarão uma só carne" (Gn 2:24; cf. Ef 5:31). O padrão divino para o casamento envolve "deixar" os pais e se unir a um cônjuge. Por essa razão, o casamento envolve uma mudança em termos de dedicação. Antes de se casar, a dedicação da pessoa é aos pais. Depois do casamento, essa dedicação passa a ser ao cônjuge.

Costumamos chamar isso de "corte das amarras psicológicas". Se há um conflito de interesses entre a esposa e a mãe de um homem, ele deve ficar ao lado da esposa. Isso não significa que a mãe deva ser tratada de maneira rude; quer dizer apenas que ela deixou de ser a mulher a partir da qual a vida dele é orientada. Esse princípio, "separar-se dos pais", é muito importante. Procuraremos formas de aplicação desse princípio nos capítulos a seguir. Nenhum casal alcançará seu potencial máximo no casamento sem essa ruptura psicológica em relação aos pais, sejam os dele ou os dela.

Talvez não haja nenhum momento em que esse princípio de separação dos pais seja mais importante do que na hora de tomar decisões. Seus pais e os pais de seu cônjuge podem oferecer sugestões interessantes a respeito de muitos aspectos de sua vida como casal. Cada sugestão deve ser levada em consideração. Contudo, em última análise, quem deve tomar a decisão final é o casal. Não se pode permitir que os pais manipulem a situação de modo que vocês acabem tomando decisões com as quais não concordam.

Dedicar-se aos pais

O segundo princípio fundamental do casamento é que devemos honrar nossos pais. Deus concedeu os Dez Mandamentos à antiga Israel, um dos quais é: "Honra teu pai e tua mãe, a fim de que tenhas vida longa na terra que o Senhor, o teu Deus, te dá" (Êx 20:12; cf. Dt 5:16). No Novo Testamento, o apóstolo Paulo reafirma esse princípio: "Honra teu pai e tua mãe — este é o primeiro mandamento com promessa — para que tudo te corra bem e tenhas longa vida sobre a terra" (Ef 6:2-3).

O mandamento para honrar os pais não se encerra quando nos casamos. A palavra "honrar" significa "demonstrar respeito". Quer dizer que devemos tratar os outros com gentileza e dignidade. Certa vez, uma mulher me disse: "Com a vida que levam, meus pais não se fazem respeitar. Como posso respeitá-los se não concordo com o que fazem?".

De fato, nem todos os pais vivem uma vida honrada. Pode ser que façam coisas não muito dignas de respeito. Contudo, devemos honrá-los, pois foram criados à imagem de Deus e nos concederam a vida. Podemos não concordar com as escolhas que fazem nem com o estilo de vida que escolheram, mas devemos respeitá-los como pessoas mesmo quando discordamos do comportamento deles. Honrar os próprios pais e os pais do cônjuge é sempre a coisa certa a fazer. Separar-se deles em conseqüência do casamento não suprime a responsabilidade de honrá-los.

Como podemos honrar nossos pais no dia-a-dia? Quando mantemos os canais de comunicação desobstruídos: visitas, telefonemas, envio de cartas ou mensagens eletrônicas. Nesse tipo de comunicação, o objetivo é transmitir a seguinte mensagem: "Ainda amo vocês e quero que continuem fazendo parte de minha vida". *Deixar* os pais nunca deve ser interpretado como *abandoná-los*. O contato freqüente faz parte do significado de "honrar" os pais. Quando negligenciamos essa comunicação, estamos dizendo: "Não me importo mais com vocês".

Outra maneira de honrar os pais pode ser encontrada no Novo Testamento: "Mas se uma viúva tem filhos ou netos, que estes aprendam primeiramente a colocar a sua religião em prática, cuidando de sua própria família e retribuindo o bem recebido de seus pais e avós, pois isso agrada a Deus" (1Tm 5:4). Quando éramos jovens, nossos pais supriam nossas necessidades físicas. À medida que crescemos e amadurecemos, nosso dever é fazer o mesmo por eles.

Se e quando surgirem as necessidades físicas de nossos pais, devemos assumir a responsabilidade de supri-las. Deixar de fazer isso é o mesmo que negar nossa fé em Cristo. O apóstolo Paulo afirmou: "Se alguém não cuida de seus parentes, e especialmente dos de sua própria família, negou a fé e é pior que um descrente" (1Tm 5:8). Por meio de nossas ações, devemos demonstrar nossa fé em Cristo, honrando nossos pais.

A perspectiva dos pais

Se temos filhos casados, isso nos ajuda muito a lembrar-nos de nosso objetivo. Desde que os filhos nascem, nós os orientamos para que se tornem independentes — pelo menos, é isso que deveríamos fazer. Nós os ensinamos a preparar uma refeição, lavar os pratos e fazer a cama, comprar roupas, economizar dinheiro e tomar decisões. Nós lhes ensinamos como demonstrar respeito pelas autoridades e mostramos o valor de cada indivíduo. Em resumo, procuramos orientá-los rumo à maturidade. Queremos torná-los pessoas capazes de viver bem por conta própria.

Quando eles se casam, nosso objetivo de ajudá-los a se tornar independentes se realiza. Nós os ajudamos a sair de um estado de dependência completa para alcançar a independência total no casamento. No futuro, precisamos passar a vê-los como adultos capazes de definir seus próprios caminhos, sejam quais forem as conseqüências. Nunca mais podemos impor nossa vontade sobre a vida deles. Precisamos respeitá-los como pessoas iguais a nós.

Isso não quer dizer que nunca mais ajudaremos nossos filhos casados; significa que, quando tivermos o desejo de ajudar, precisaremos perguntar primeiro se eles precisam de nosso auxílio. Um presente indesejado não é um presente, mas um fardo.

Às vezes, os pais oferecem ajuda financeira aos filhos casados e, com isso, os estimulam a viver de acordo com um padrão que não podem sustentar. Essa prática não ajuda a promover a independência do casal. Do mesmo modo, os pais não devem usar presentes para influenciar um filho casado. "Vamos comprar um carro zero quilômetro para você, mas só se..." — isso não é um presente, mas uma forma de manipulação.

Às vezes, os pais desejam dar conselhos aos filhos casados. A regra é bem simples: os pais só devem dar conselhos quando os filhos pedem. Se os seus filhos não lhe pediram conselho mas você faz questão de compartilhar a sua experiência, pelo menos peça permissão para fazê-lo. "Você se importaria se eu compartilhasse a minha opinião a respeito desse assunto?" — essa é uma pergunta adequada. Dar conselhos que seus filhos não pedem não ajuda a desenvolver relacionamentos saudáveis.

Esses ideais aos quais aspiramos são a liberdade e a harmonia. O casal precisa do acolhimento emocional que brota de um relacionamento integral com os pais do marido e da esposa. Esses pais, por sua vez, também precisam do acolhimento emocional que o casal deve proporcionar. A vida é curta demais para ser vivida à base de relacionamentos problemáticos. Nem sempre concordaremos com as coisas que nossos filhos casados fazem, mas podemos demonstrar respeito e oferecer a eles a liberdade de tomar decisões por conta própria.

Assim, como podemos nos tornar efetivamente amigos dos parentes de nossos cônjuges? Nas páginas a seguir, compartilharei sete princípios que mudarão radicalmente o conceito de relacionamento com essas pessoas. Minha intenção, ao escrever este livro, era mesmo a de não escrever demais. Sei que você é uma pessoa ocupada. É provável que consiga terminar a leitura em menos de duas horas.

Você descobrirá que ler este livro será um bom investimento de seu tempo. E, no fim de cada um de seus breves capítulos, encontrará sugestões objetivas sobre como colocar essas idéias em prática dentro da estrutura de sua família. Não importa se você é um genro, uma nora, uma sogra, um sogro, uma cunhada ou um cunhado: esses princípios foram desenvolvidos para ser aplicado a sua vida. Se você colocá-los em prática nos relacionamentos com os parentes de seu cônjuge, posso garantir que começará a notar mudanças positivas nas atitudes e no comportamento dessas pessoas.

Ao término de cada capítulo, os leitores encontrarão uma seção intitulada "Colocando os princípios em prática". Siga essas sugestões e estará no caminho certo para estabelecer relacionamentos saudáveis com os parentes de seu cônjuge.

1

Ouça antes de falar

A SOGRA DE MARSHA É MUITO RICA. Marsha, por sua vez, foi criada em um lar modesto no qual a ênfase sempre esteve no sacrifício pessoal e na generosidade. O pai de Marsha era diretor do comitê missionário da igreja; sua mãe se envolvia ativamente no ministério feminino. Até onde Marsha conseguia se lembrar, todo ano seus pais economizavam uma quantia considerável para a oferta missionária anual. Quando criança, ela própria separava uma parte de sua mesada para entregar como oferta.

Depois de dois anos de casamento, a frustração de Marsha com a sogra era total.

> Todo mês ela me convida para almoçar. Sempre fico feliz pela oportunidade de revê-la. No entanto, depois do almoço, ela insiste em que eu a acompanhe ao *shopping* para comprar um vestido novo para mim. No início, adorei a generosidade da atitude. No entanto, com o tempo, percebi que o almoço ficava cada vez mais curto, enquanto as compras começavam a ocupar a tarde inteira. Ela nunca procura as peças que estão em liquidação e já me comprou vestidos muito caros.

Marsha prosseguiu:

> Vejo isso como uma extravagância, um desperdício de dinheiro. Tenho a impressão de que ela está tentando comprar minha amizade ao agir assim. Quando lhe explico que não preciso de nenhum vestido, ela diz: "Toda mulher precisa de um vestido novo. Faz bem para o espírito". Ora, isso não está fazendo nenhum bem ao meu espírito. Pelo contrário, tem feito crescer meu ressentimento para com ela. Por que não entrega esse dinheiro às pessoas que precisam dele de verdade? Meu armário está cheio de vestidos porque não quero magoá-la. Eu gostaria de ter outro tipo de relacionamento que não se concentrasse nas coisas que ela compra. Gostaria de almoçar com ela por mais tempo, em um lugar sossegado, falando de coisas agradáveis. Gostaria de saber como foi a infância de minha sogra... Que tipo de lutas ela e meu sogro tiveram de enfrentar no início do casamento... Como ela se sentia como dona de casa. Ela só fala sobre as partidas de golfe e os jogos de cartas dos quais participa. Às vezes tenho a sensação de que ela é uma pessoa muito solitária e que as compras são a maneira que encontrou de tentar esquecer essa solidão. Não sei. Só queria que nosso relacionamento fosse algo mais "pé no chão".

Marsha guardava esses pensamentos e sentimentos para si. Ela tentava compartilhá-los com o marido, Rick, mas a resposta dele era sempre a mesma: "Deixe que mamãe continue comprando os vestidos. É o jeito que ela tem de demonstrar quanto gosta de você". Talvez Rick esteja certo. Contudo, se for verdade, a mãe dele está errando na mão. Marsha não se sente mais amada com isso — pelo contrário, ela se ressente da atitude da sogra.

— Você já tentou falar com sua sogra a respeito das coisas que pensa e sente? — perguntei a Marsha.

— Ainda não — Marsha respondeu. — Ela é uma daquelas mulheres autoritárias que falam a maior parte do tempo e raramente fazem perguntas. Quando ela resolve parar e perguntar alguma coisa, tenho a sensação de que não presta atenção à minha resposta, pois já está ocupada pensando naquilo que vai dizer em seguida. Fico tensa quando estou perto dela.

Ficou-me evidente que Marsha tinha um problema sério que só poderia ser resolvido se tomasse alguma iniciativa.

— Mas eu não posso simplesmente dizer a ela que isso me aborrece — justificou-se Marsha — e não posso deixar de almoçar com ela por causa disso. É o único contato que temos. Se eu contar à minha sogra que não quero os vestidos, tenho medo de que ela se magoe. Não sei mesmo o que devo fazer. É por isso que estou aqui.

— Fico feliz que você tenha me procurado — eu disse. — Não sou nenhum santo milagreiro, mas tenho uma idéia que gostaria de sugerir. Da próxima vez que você almoçar com sua sogra, diga a ela: "Antes de sairmos para fazer compras, quero fazer uma pergunta: em uma escala de 1 a 10, como você avalia o prazer que sente em me levar para comprar vestidos?". Se a resposta dela for 8, 9 ou 10, que é o que acredito que ela vai dizer, então pergunte: "Por que você se sente tão bem em fazer essas coisas para mim?".

Continuei com a orientação:

— Ouça atentamente. Em seguida, certifique-se de que ouviu bem a resposta que ela deu. Por exemplo, você pode dizer assim: "Pelo que entendi, você está dizendo que gosta de me comprar essas coisas porque, quando se casou, sua sogra não tomava essas atitudes, e isso a magoou. Você não deseja que isso aconteça em nosso relacionamento. Está correto?". Continue a fazer perguntas esclarecedoras até sentir que já entendeu o que está por trás do desejo que sua sogra tem de fazer compras para você.

Marsha me ouvia com atenção. Prossegui:

— Em seguida, demonstre a ela seu apreço pelo que está fazendo por você. Tendo compreendido a motivação de sua sogra, acredito que isso será bem mais fácil. Diga a ela que se sente realmente grata por ter uma sogra tão carinhosa e atenciosa. Depois, diga como aquela conversa foi importante para você: que agora se sente como se a conhecesse melhor e que passou a admirá-la ainda mais. Aí, então, vá fazer compras e permita que ela compre o que quiser para você. No mês seguinte, quando vocês almoçarem, faça mais perguntas à sua sogra. Fale sobre como você gostou da conversa que tiveram um mês antes e peça, se ela não se incomodar com isso, que revele mais coisas a respeito dela. Você deve fazer perguntas do tipo: "Como você foi criada?"; "Como era a sua vida de adolescente?"; "Como foi que conheceu seu marido?"; "O que a levou a tomar a decisão de se casar?"; "Como foram os primeiros anos do casamento?"; "Quais foram as situações mais marcantes em sua família e em seu casamento?". É possível que não dê para perguntar tudo isso em um só bate-papo, mas escolha algumas dessas questões.

Continuei explicando a Marsha como deveria proceder:

— Ao agir assim, você está procurando conhecer melhor sua sogra. Fazemos isso quando perguntamos as coisas e ouvimos as respostas. Repito: formule perguntas esclarecedoras para ter certeza de que entendeu bem o que ela disse. Por exemplo: "Está me parecendo que você se sentia muito magoada com o comportamento de seu pai. É isso mesmo?". Independentemente da resposta de sua sogra, repita-a em forma de pergunta para dar-lhe oportunidade de deixar tudo bem claro. Fale sobre como está gostando da conversa e que se sente grata pelo fato de ela se dispor a compartilhar sua história pessoal. Em seguida, vão às compras. Quando ela ligar no terceiro mês a fim de convidá-la para almoçar, diga assim: "Mal posso esperar para vê-la. Gostei demais de nossa última conversa. Tenho uma sugestão. Eu queria ir a uma exposição em um museu na cidade. Que tal se desta vez, depois do almoço, fôssemos ver essa exposição em vez de ir ao *shopping*?". Se ela aceitar a sua sugestão, ótimo. No entanto, se ela disser que quer ir à exposição e *depois* sair para fazer compras, responda desta maneira: "Tudo bem. Talvez até tenhamos tempo para isso, mas vamos primeiro à exposição e depois vemos como é que fica. Pode ser?". Há grande chance de ela concordar. Depois de visitarem a exposição, as duas decidem se ainda há tempo para ir ao *shopping*. Talvez possam fazer comprinhas rápidas dessa vez, ou mesmo não fazer compra alguma. De um jeito ou de outro, você conseguiu mudar o padrão de almoço seguido de compras.

Marsha continuava atenta, por isso concluí o raciocínio:

— No quarto mês, você pode ter outro bate-papo interessante com ela e fazer a sugestão de passar a alternar compras em um mês e alguma outra atividade social juntas no encontro seguinte. Você pode dizer: "Afinal de contas, meu armário está ficando lotado, e eu gostaria muito de fazer outras coisas em sua companhia". Se ela aceitar essa proposta, você terá acabado de mudar o paradigma das compras mensais. Nos meses posteriores, pode até tomar coragem e fazer outra sugestão: "Em vez de adquirir mais um vestido para mim, que tal se levássemos a filha que um amigo meu adotou e comprássemos roupas para ela?". Ou então, em outro desses encontros mensais, talvez você possa convencê-la a adquirir cestas básicas para uma família que está passando por necessidade ou material escolar para um grupo de crianças cujas famílias são de baixa renda. Aos poucos, você estará ajudando sua sogra a canalizar sua generosidade para áreas que agradem a ambas. Além disso, passará a conhecê-la melhor como ser humano, e não simplesmente como uma senhora com quem costuma almoçar e fazer compras uma vez por mês.

Quando chegamos ao fim da conversa, Marsha estava muito mais feliz. Ela me disse:

— Se metade do que o senhor me descreveu acontecer mesmo no meu relacionamento com minha sogra, já me dou por satisfeita.

Ao longo dos meses seguintes, Marsha viu muitas daquelas projeções se transformarem em realidade. Ela e a sogra se tornaram ótimas amigas. Marsha aprendeu a aceitar os presentes como expressões de amor, ao mesmo tempo em que ensinou a sogra a compartilhar o que a vida lhe proporciona. Alguns meses depois, encontrei essa sogra ao acaso. Ela me disse: "Marsha é a melhor coisa que aconteceu em minha vida. Ter um filho é maravilhoso, mas ter uma nora é ainda melhor". Não sei como o filho dela se sentiria se ouvisse aquilo, mas era evidente o afeto daquela mulher por Marsha.

A história de Marsha demonstra o poder que há na disposição de ouvir. O propósito de ouvir é descobrir o que se passa na mente e no coração das pessoas. Se entendermos o motivo que leva as pessoas a fazer o que fazem, nossas reações poderão ser mais adequadas. Por exemplo, a atitude de Marsha mudou quando ela descobriu que a sogra lhe comprava muitos vestidos porque, nos primeiros anos do casamento, tinha pouco dinheiro para roupas e por isso vivia passando por constrangimentos na hora de se vestir.

Entender uma situação geralmente muda nossa percepção das pessoas e, como conseqüência, os sentimentos negativos que possamos ter em relação a elas. Trata-se de um princípio psicológico fundamental: não podemos ler o pensamento dos outros. Observamos como eles se comportam, mas não sabemos o que os motiva a agir daquele modo, a não ser quando temos a oportunidade de ouvir o que têm a dizer. A maioria de nós não foi treinada para ouvir. Por essa razão, é muito comum interpretarmos mal as atitudes das pessoas que fazem parte da família do cônjuge. Eu gostaria de compartilhar algumas orientações que podem ajudar você a ouvir melhor o que os outros estão tentando dizer.

Faça perguntas

A maneira mais eficaz de descobrir o que está se passando na mente dos parentes de seu cônjuge é fazer perguntas. Muita gente só fala a respeito dos pensamentos e sentimentos que motivam seu comportamento quando alguém se dispõe a perguntar. Marsha não teve dificuldade alguma em perceber o comportamento da sogra, que a levava ao *shopping* e lhe comprava vários vestidos. No entanto, ela não sabia que o comportamento da sogra era motivado por acontecimentos que remontavam aos primeiros anos do próprio casamento. Essa informação só apareceu como resposta a uma pergunta.

As perguntas devem ser feitas com muito critério. Quanto mais específicas maior a possibilidade de descobrir a informação que procura. Você pode puxar assunto com algumas perguntas preliminares. Por exemplo: "Quem você acha que vai ganhar o campeonato de futebol?" é uma maneira de dar início a um bate-papo com o sogro. Em seguida, você pode perguntar: "Desde quando você se interessa por futebol? O que despertou seu interesse?". As respostas a essas perguntas podem revelar, entre outras coisas, que seu sogro nunca perde uma partida de futebol.

Do mesmo modo, as perguntas devem ser sempre sinceras. Você não está fazendo uma série de perguntas com o objetivo de pôr os parentes de seu cônjuge contra a parede e vencer uma discussão. Seu objetivo é compreendê-los melhor. De modo geral, quando as pessoas sentem que você está mesmo interessado nelas e quer conhecê-las melhor, costumam responder a todas as perguntas de maneira franca e descontraidamente.

A sogra de Marsha não se recusou a falar a respeito dos primeiros anos de seu casamento. Marsha, por sua vez, nunca antes demonstrara interesse por aquela parte da vida dela. Quando viu que Marsha estava sinceramente interessada, sua sogra falou abertamente a respeito do que motivara seu interesse em fazer compras e dar presentes.

Pedir aos parentes de seu cônjuge que classifiquem seus sentimentos em uma escala de 1 a 10 é um modo rápido e fácil de descobrir até que ponto determinado assunto mexe com eles. Jason usou essa técnica desde o início de uma conversa séria que teve com o sogro, que o frustrava com sua propensão ao jogo. Quando descobriu que o sogro havia levado seu filho de 10 anos, Bobby, a um cassino, Jason ficou furioso e disse à esposa: "Nunca mais permitirei que Bobby volte a ver seu pai". Duas semanas depois, quando Jason já estava mais calmo, eu o desafiei a fazer perguntas ao sogro e ouvir as respostas dele.

Ele pediu ao sogro que classificasse sua satisfação em ir ao cassino em uma escala de 1 a 10. Quando ouviu a resposta — "Dez!" —, Jason percebeu que se tratava de algo muito importante para ele. Em seguida, Jason prosseguiu com as perguntas:

— Por que você acha que o jogo proporciona tanto prazer?

— Para mim, é uma forma de recreação — o sogro respondeu. — Jogo porque tenho dinheiro e não preciso me preocupar em como devo gastá-lo. Quando eu era criança, não tínhamos muito dinheiro. Nunca sabíamos se teríamos algo para jantar ou se meu pai ia dizer: "Vamos para a cama mais cedo. De manhã tomamos um café bem caprichado". O café da manhã era sempre mingau de aveia. Podíamos tomar quanto mingau quiséssemos, mas só isso. Eu via meus amigos cheios de dinheiro para gastar à toa, por isso tomei uma decisão: quando eu me tornasse adulto, ganharia muito dinheiro e nunca mais pediria nada a ninguém. E consegui. Agora tenho a satisfação de gastar meu dinheiro como quero. Se eu perder mil dólares, o que tem de mais? Eu pago.

Jason insistiu:

— Quer dizer que, para você, não é uma questão de ganhar ou perder, e sim de se divertir.

— Não é só diversão. É liberdade. Liberdade de fazer o que eu quiser com as coisas que tenho.

— Acho que consigo entender aonde você quer chegar — disse Jason. — Acho que todos nós queremos ser livres, e essa é uma maneira de você expressar a sua liberdade.

Jason jamais teria adivinhado o que se passava na mente de seu sogro. Contudo, duas perguntas e a disposição de ouvir foram suficientes para ajudá-lo a entender as motivações daquele homem. Ele ainda proíbe que o filho seja levado ao cassino, mas, depois de ouvir e compreender o sogro, passou a exprimir suas preocupações de maneira construtiva.

Jason foi capaz de comentar com o sogro que, segundo seu ponto de vista, muita gente que joga não é livre — pelo contrário, são pessoas escravizadas pelo jogo que perdem não apenas o dinheiro da "diversão", como também todos os seus recursos financeiros. Explicou seu desejo de evitar que Bobby fosse exposto a algo que tinha o potencial de se tornar um vício e destruir sua liberdade. Por fim, pediu ao sogro que nunca mais levasse Bobby ao cassino dali para frente. O sogro compreendeu e concordou.

Embora as histórias de Marsha e Jason tenham um "final feliz", não quero com isso sugerir que fazer perguntas e entender as motivações dos parentes do cônjuge constituam a garantia de uma solução satisfatória para os problemas que nos aborrecem. No entanto, ao fazer perguntas e ouvir respostas de maneira solidária, é mais provável que encontremos uma saída para essas questões. E nesse processo seremos capazes de preservar (ou mesmo aprimorar) nosso relacionamento com essas pessoas.

Não interrompa

Quando os sogros, genros ou cunhados estão falando, temos a tendência de interrompê-los quando dizem alguma coisa de que discordamos. Ao fazer essa interrupção para expressar a sua opinião, você deu o primeiro passo para gerar uma discussão. Discussões são contraproducentes. Uma pessoa vence, a outra perde e nada se resolve.

Lembre-se de quando a sogra de Marsha lhe disse que comprava muitos vestidos porque, nos primeiros anos do casamento, tinha pouco dinheiro para gastar com roupas, e por isso vivia passando por constrangimentos na hora de se vestir? Suponhamos que Marsha a tivesse interrompido para dizer: "Nós temos *muito* dinheiro. Rob tem um ótimo emprego. Você não precisa comprar coisas para mim". Se procedesse assim, ela teria dado início a uma discussão que provavelmente teria causado mais estragos no relacionamento com a sogra.

Imagine se Jason tivesse interrompido o sogro para comentar: "Isso é desculpa esfarrapada. Não acredito em nada do que você está me dizendo. Acho que você joga porque é um viciado". É bem provável que ele e o sogro começassem uma briga que viria a destruir o relacionamento entre os dois de uma vez por todas.

O propósito de ouvir é compreender, e não fazer o seu ponto de vista prevalecer. Nossa opinião deve ser colocada bem mais tarde, em outra conversa. Nos primeiros estágios, nossa intenção deve ser a de entender o que se passa na mente e no coração daquele parente do cônjuge para que possamos oferecer uma resposta apropriada. As interrupções prejudicam o processo de compreensão.

Para algumas pessoas, evitar as interrupções é muito difícil. Elas desenvolveram um padrão de comunicação com base na argumentação. Ouvem apenas o tempo suficiente para organizar seu raciocínio; em seguida, interrompem e discordam de qualquer coisa que a outra pessoa venha a dizer. Gente assim nunca consegue manter um relacionamento positivo com os parentes do cônjuge — nem com outras pessoas —, a não ser que aprenda a romper esse padrão destrutivo de discussões. Os relacionamentos são desenvolvidos à medida que as pessoas procuram compreender umas às outras. As interrupções e as discussões os destroem.

Se você tem problemas em continuar ouvindo os sogros, genros e cunhados quando discorda do que estão dizendo, permita-me sugerir um jogo mental que pode ser útil. Enquanto eles respondem a sua pergunta, imagine que suas orelhas são enormes, iguais às de um elefante. Isso permitirá que você se lembre sempre disto: "Estou ouvindo. Quero entender. Não vou interromper. Mais tarde, terei a oportunidade de compartilhar minhas opiniões. Nesse momento, estou tentando ouvir o que essa pessoa está dizendo. Quero saber de suas origens e entender como ela encara seu comportamento. Estou tentando desenvolver um relacionamento, e não fazer um inimigo". Aprender a ouvir sem interromper é um passo fundamental para a eficácia dessa iniciativa.

Esclareça os significados

Mesmo quando estamos deliberadamente concentrados em ouvir, é muito comum entender mal o que a outra pessoa está tentando nos dizer. É como se estivéssemos ouvindo por intermédio de nossos próprios fones de ouvido, que às vezes distorcem o significado verdadeiro daquilo que o outro está falando.

Podemos esclarecer esse significado dizendo à pessoa o que entendemos do que ela falou e perguntando se está correto. Jason fez isso quando afirmou: "Quer dizer que, para você, não é uma questão de ganhar ou perder, e sim de se divertir". Isso permitiu que seu sogro esclarecesse seu ponto de vista, trazendo à conversa a questão da liberdade. A partir dessa reação, Jason conseguiu saber mais a respeito do que se passava na mente do sogro.

Algumas pessoas se opõem, dizendo que esclarecer as questões parece algo mecânico demais. Certa vez, um homem me disse: "Estou cansado de ficar repetindo: 'Pelo que entendi, você está dizendo que...' E tenho certeza de que as outras pessoas também já estão fartas de ouvir isso". De fato, a mesma resposta, apresentada com as mesmas palavras, pode se tornar monótona e irritante. No entanto, perguntas esclarecedoras podem ser feitas de muitas maneiras. Veja aqui alguns exemplos:

- "É isso o que você está dizendo? Que..."
- "Então você quer dizer que..."
- "Acho que já sei. Veja se entendi bem..."
- "O que ouvi foi o seguinte[...] Foi isso mesmo que você quis dizer?"
- "Quero ter certeza de que entendi direito. Você está dizendo que..."

Quando aprendemos a fazer perguntas esclarecedoras de vários modos, elas se tornam parte de um fluxo natural de conversação. Quando o parente do cônjuge responde: "Sim, você entendeu o que eu quis dizer", então você saberá que ele sente que foi bem compreendido. Aí você estará apto a passar à etapa seguinte.

Demonstre apreço

Agora que essa pessoa disse que você entendeu o que ela estava falando, comente: "Fico muito grato por você estar compartilhando essas coisas comigo. Acho que agora entendo melhor o seu jeito, e tudo aquilo que está dizendo faz muito sentido". Com essa reação simples, você deixa de ser um inimigo e terá gerado um clima positivo.

Declarações afirmativas não significam que você necessariamente concorda com o que essa pessoa disse. Indicam apenas que ouviu por tempo suficiente para ver o mundo por intermédio dos olhos dela e entender que a maneira de elas agirem faz sentido. Você está afirmando a humanidade dessas pessoas, dando-lhes o direito de pensar e sentir do jeito delas.

Talvez alguém pergunte: "Como você pode reafirmar o que esse parente de seu cônjuge está dizendo se discorda totalmente da opinião dele?". Minha resposta é esta: você não está necessariamente confirmando a validade daquilo que a pessoa diz. Você está reafirmando o direito que ela tem de defender seu ponto de vista. Está lhe dando a mesma liberdade que Deus concede, permitindo-lhe que manifeste sua humanidade.

A reafirmação não quer dizer que você concorda com as idéias ou que goste do comportamento de alguém. Significa que entende o histórico que forjou a opinião dessa pessoa e como isso afetou suas emoções. A partir da compreensão da personalidade e dos pontos de vista, não é difícil entender o que a levou a chegar a determinadas conclusões e aquilo que se passa em seu coração.

Não há como medir o valor dessa iniciativa, pois é ela que cria o clima necessário para a próxima e importante etapa.

Compartilhe seu ponto de vista

Agora que você já fez as perguntas, permitiu que o parente de seu cônjuge falasse sem interrupções, esclareceu os significados e expressou seu apreço, então está pronto para compartilhar o seu ponto de vista. Como você dedicou tempo para ouvi-lo com dignidade e respeito, ele estará muito mais propenso a ouvir o que você tem a dizer.

Quando Jason explicou por que não queria que Bobby voltasse ao cassino, o sogro demonstrou disposição de ouvir e concordar. Se Jason não tivesse dedicado parte de seu tempo para ouvir primeiro o que o sogro tinha a falar, se tivesse apenas condenado o comportamento daquele homem e dito a ele que Bobby nunca mais teria autorização para acompanhá-lo ao cassino, o relacionamento entre os dois permaneceria prejudicado pelo resto da vida. Foi a disposição de ouvir que conduziu a questão a uma conclusão saudável.

Quando Marsha começou a sugerir alternativas às compras no *shopping*, a sogra demonstrou abertura a essas alternativas porque sentiu que Marsha queria, de fato, manter um bom relacionamento com ela. Se Marsha não expressasse apreço pelo fato de sua sogra compartilhar informações sobre os primeiros anos do próprio casamento, nunca encontraria terreno fértil para suas sugestões. Quando demonstramos esse apreço, aumentamos as chances de sermos ouvidos pelos sogros e chegarmos a uma solução satisfatória.

O seu ponto de vista a respeito da situação também é muito importante. Você é um dos principais atores nesse relacionamento com os parentes de seu cônjuge. Por isso, também deve ser ouvido; suas idéias e seus sentimentos são importantes. Agora que já conseguiu demonstrar respeito por seus sogros, você está pronto para dizer: "Permita-me expressar o meu ponto de vista com você. Estas são as lutas que tenho enfrentado. Este é o meu objetivo. E aqui está o que acredito ser importante". E aí você explica toda a sua perspectiva da questão.

Pelo fato de ter ouvido, é muito maior a probabilidade de você ser ouvido. Por não ter interrompido, as pessoas se sentirão menos propensas a interrompê-lo. Ao esclarecer o sentido das coisas, você propiciou que os parentes de seu cônjuge se sentissem mais à vontade para fazer o mesmo. E, por você ter demonstrado apreço, serão maiores as chances de eles expressarem apreço por você também. Assim, juntos, vocês poderão aceitar suas diferenças e encontrar soluções saudáveis.

Neste capítulo, discutimos o primeiro passo no processo de estabelecimento de uma amizade com sogros, genros e cunhados. A disposição de ouvir permitiu que ambos entendessem melhor um ao outro, e essa compreensão conduziu você a conclusões positivas que tornarão o futuro mais fácil para todos. No próximo capítulo, analisaremos o poder do respeito.

Colocando os princípios em prática

Pense em um parente de seu cônjuge com o qual você gostaria de desenvolver um melhor relacionamento. Pense nesse relacionamento específico à medida que considera as seguintes questões:

1. Que perguntas você precisa fazer para entender melhor esse parente de seu cônjuge?
2. Quando você conversa com essa pessoa, sente certa propensão a interrompê-la? Se a sua resposta for "sim",

o que pensa fazer para romper com esse padrão de comportamento?

3. Tente formular perguntas esclarecedoras da próxima vez que vocês conversarem. Por exemplo: "É isso que você está dizendo?".
4. Leia a declaração a seguir em voz alta por três vezes: "Eu realmente agradeço por você compartilhar tudo isso comigo. Acho que agora posso compreendê-lo melhor, e o que você disse faz muito sentido". Procure uma oportunidade de usar essa declaração ao conversar com o parente de seu cônjuge.

Quando você aprender a fazer boas perguntas, esclarecer o sentido das coisas, demonstrar apreço e se recusar a interromper a outra pessoa, então estará apto a dizer: "Permita-me compartilhar o meu ponto de vista". Como você mostrou disposição de ouvir essa pessoa, é bem provável que ela o ouça também.

2

Aprenda a arte do respeito

O RESPEITO É UM INGREDIENTE IMPORTANTÍSSIMO no desenvolvimento de um relacionamento com os parentes do cônjuge. Segundo a versão *on line* do *Dicionário Houaiss da Língua Portuguesa*, a palavra "respeito" significa "profunda deferência; consideração, reverência". Tem a ver com a maneira como vemos as pessoas. Para mim, respeito significa a opção de ver o outro como uma pessoa muito importante por ter sido criada à imagem de Deus. Minha opção por respeitar você não se baseia em seu caráter ou na maneira como você me trata. Em vez disso, ela se baseia na percepção que tenho a seu respeito.

Respeito não tem nada a ver com o comportamento de meu sogro, meus cunhados ou meus genros nem com a opinião que eles têm de si mesmos. Pode ser que eles se considerem o lixo da sociedade ou um presente de Deus para a humanidade. Ou seja, a visão que têm de si pode ser deturpada ou exagerada. Seja qual for, eu os considero pessoas que possuem grande valor intrínseco porque carregam a imagem do Criador.

Posso não gostar muito do comportamento dessas pessoas, mas eu as respeito como seres humanos. Deus as dotou de determinado nível de inteligência, de capacidade para sentir emoções e de liberdade de escolha. Do mesmo modo, elas são, em última análise, responsáveis diante do Senhor pela maneira como usam a própria vida.

Quando opto por uma atitude de respeito, isso se reflete em meu comportamento. O respeito me leva a reconhecer que os parentes de meu cônjuge têm direito à mesma liberdade que Deus concede a mim e a todos os seres humanos: a liberdade de ser diferente. Portanto, não tentarei impor minha opinião sobre essas pessoas. Em vez disso, quando eu tiver de confrontá-las por algum motivo, buscarei uma solução que demonstrará o meu respeito por nossas diferenças. Não tentarei controlá-las nem permitirei que me controlem. Dedicarei a elas o mesmo respeito que espero receber.

Pode ser que eu me irrite por causa de determinada coisa que algum parente de minha esposa faz ou diz. O sentimento de irritação não é um pecado. No entanto, sou responsável pela maneira como reajo a ele. Se descarrego minha irritação com palavras duras ou pesadas, então eu peco. Deixo de mostrar respeito. Em contrapartida, quando trato as pessoas com dignidade, procurando entender sua perspectiva de determinada situação e buscando soluções que satisfaçam todas as partes, então estou demonstrando meu respeito.

Em um esforço de transformar toda essa teoria em aplicação prática, vamos analisar cinco áreas nas quais costumamos ter a oportunidade de mostrar respeito por cunhados, genros e sogros.

Respeito pelas tradições e datas especiais

O casamento une duas famílias, cada uma trazendo um histórico de tradições e celebrações de datas especiais. É inevitável que as maneiras como celebram essas datas sejam diferentes. E a importância que dão a tais celebrações também será diferente de uma família para outra.

Para muitos jovens casais, o primeiro Natal se torna o primeiro grande conflito no casamento. Tanto a mãe dele quando a dela querem que os dois as visitem no dia de Natal. Isso até pode ser possível se os pais vivem bem próximos e uma família se concentra na tradição do jantar do dia 24, enquanto a outra dá mais valor ao almoço do dia 25.

Contudo, se uma família vive a mais de 150 quilômetros de distância da outra, esse sistema não é plausível. Se um dos casais de pais insiste em sua presença no dia de Natal e o outro concorda com muita relutância, é possível que tenha sido plantada a semente de um ressentimento. Em uma decisão desse tipo, o respeito é banido. Os pais que exigiram a presença do jovem casal não respeitaram os direitos dos outros pais. Do mesmo modo, não respeitaram a liberdade que esse jovem casal tem de tomar suas próprias decisões.

Quando a arte de demonstrar respeito é aplicada de maneira correta, o que acontece? Tanto os pais de um quanto os do outro avisam sobre o desejo que nutrem de receber a visita desse jovem casal no dia de Natal. Quando fica sabendo disso, o casal se sente encorajado a pensar na situação e sugerir um plano alternativo, pois está à vontade para analisar as possibilidades.

Pode ser que o jovem casal decida declinar dos dois convites e passar o dia de Natal a sós. Se a distância não for um problema, os dois podem passar a véspera de Natal na casa dos pais dele e o dia de Natal na casa dos pais dela ou vice-versa — deixando claro que, no ano seguinte, eles inverterão a seqüência. Se a distância não permitir esse esquema, o casal pode sugerir a alternância de um ano para o outro, ou seja, em cada ano o Natal é celebrado na casa dos pais de um deles.

A decisão sobre qual dos dois lugares dará início à seqüência pode ser feita no cara-ou-coroa. Se houver um caso de doença grave em uma das famílias, isso pode ser razão suficiente para ter prioridade na escolha do local em que o casal passará o primeiro Natal. Se o tempo e o dinheiro não forem problemas, o Ano-Novo também pode fazer parte desse acordo, de modo que os pais de um e de outro tenham a oportunidade de ver o casal no mesmo período de festas.

Você pode perceber que há muitas soluções igualmente cabíveis para esse conflito do feriado. Todas elas exigem uma atitude de respeito por parte dos membros das duas famílias. Se o respeito não existe, então o Natal deixa de ser um símbolo de "paz na terra".

Conheci jovens casais que preferiam ficar longe tanto dos pais dele quanto dos dela no Natal — não que deixassem de querer estar com eles, mas porque sentiam que havia uma tentativa de manipulação das duas partes. A manipulação é o oposto do respeito. O respeito diz: "Isto é o que eu gostaria que acontecesse e este é o motivo. No entanto, também sei que vocês devem tomar a decisão que acreditam ser a melhor para ambos". O respeito sempre abre espaço para a liberdade de escolha.

Conheci casais que admitiam preferir passar as festas de fim de ano na casa dos pais de um, e não do outro. Em geral, isso acontece porque o ambiente emocional em uma das casas é muito tenso, talvez por causa da ação do álcool, por falta de parâmetros no linguajar ou em decorrência de conflitos do passado. No entanto, incentivo os jovens casais a não permitir que esse tipo de sentimento os leve a evitar a visita ao lar problemático.

A Bíblia diz: "Honra teu pai e tua mãe" (Êx 20:12; cf. Ef 6:2). Não honramos nossos pais quando os execramos ou excluímos de nossa vida. Podemos ser sinceros a respeito daquilo que sentimos, a respeito do nível de estresse a que somos submetidos quando estamos com eles, mas não podemos permitir que essas coisas controlem o nosso comportamento. Honramos os nossos pais não porque somos obrigados a isso, mas porque eles nos deram a vida. Sem eles, não estaríamos aqui. Trata-se de um débito enorme.

Um casal honra os pais quando dá o mesmo peso e a mesma medida aos convites que recebe tanto dos pais de um quanto dos de outro. Podemos até não aprovar o estilo de vida que levam. É possível que classifiquemos o comportamento dessas pessoas como inconveniente. No entanto, devemos considerá-las dignas de valor e respeito porque carregam a imagem do Criador.

É claro que, se no lar dos pais dele ou dela houver uso ou abuso de bebida, drogas, linguagem profana, vulgaridade ou violência, isso deve ser levado em consideração na hora de decidir se o casal deve ou não celebrar as festas com essa família, principalmente quando há crianças envolvidas.

Uma possibilidade é respeitar a liberdade que essa família tem de viver do modo que bem entende, mas pedir que, enquanto você e seus filhos estiverem lá para passar as festas, haja moderação nesse tipo de comportamento. Se eles optarem por respeitar você e sua família da mesma maneira que estão sendo respeitados, é possível que concordem, e assim vocês podem celebrar as festas juntos e de um modo saudável.

Respeito pelas diferenças religiosas

A nossa sociedade é, de fato, globalizada. O casal no apartamento ao lado pode ser budista, enquanto o outro na casa em frente é hindu. Seu colega de trabalho pode ser muçulmano e todos os demais podem ser cristãos. Mesmo dentro do escopo cristão, há muitos *dialetos* religiosos, como o metodista, o presbiteriano, o batista e assim por diante. Cada um desses dialetos representa uma maneira diferente de expressar e colocar em prática a fé cristã. Todos concordam no que diz respeito ao cerne da fé; porém, diferem de várias maneiras.

A maioria das pessoas chega ao casamento depois de ter sido criada em um contexto religioso. Pode ser que elas tenham crenças bem arraigadas ou que tratem o sistema religioso no qual foram criadas de uma maneira menos comprometida. É até possível que tenham rejeitado a religião (ou as religiões) de seus pais. É raro duas pessoas chegarem ao casamento com o mesmo histórico religioso e a mesma fé, ainda que tenham sido criadas na mesma igreja.

Essas diferenças religiosas costumam se tornar fator de divisão durante o casamento. Elas também podem originar barreiras para o pleno relacionamento com sogros, genros, noras e cunhados. Lembro-me de um casal de fé protestante que contou:

> Nossa filha se casou com um católico. Quando estavam namorando, ele visitou nossa igreja e disse que não tinha ligações muito fortes com a fé católica. Entretanto, quando vieram os filhos, ele insistiu em que fossem criados dentro de sua religião. Nós sentíamos como se ele tivesse enganado nossa filha. Por causa disso, nosso relacionamento com ele não é nada bom.

Como a religião é uma área fundamental da vida, eu insisto com os casais para que pensem no casamento como o ambiente no qual estarão estabelecendo o fundamento religioso sobre o qual construirão o relacionamento conjugal e familiar. Quando as diferenças sobre as crenças religiosas essenciais são muito grandes, essas questões precisam ser resolvidas antes do casamento. Caso isso não aconteça, elas podem se tornar grandes barreiras para a unidade do casal.

No entanto, mesmo quando os dois concordam em questões religiosas fundamentais, pode ser que não encontrem harmonia no que diz respeito à perspectiva religiosa dos pais de um ou de outro. Um jovem casado me relatou:

> Minha irmã se casou com um muçulmano. Ele dizia que todas as religiões eram basicamente o mesmo, mas ela logo percebeu que não era bem assim. Tem sido muito difícil desenvolver um relacionamento positivo com meu cunhado porque ele discorda de praticamente tudo aquilo em que eu creio. Mesmo quando tentamos não tocar no assunto religião, nossas crenças fundamentais tendem a respingar nas demais áreas da vida e, no fim, acabamos discutindo também sobre essas outras coisas.

É correto dizer que, quando uma pessoa está comprometida com um sistema religioso, esse compromisso influencia sua maneira de ver todas as áreas de vida. É por isso que o apóstolo Paulo instruía os cristãos a não se casar com não-cristãos (cf. 2Co 6:14-15). Se temos a intenção de manter unidade conjugal também na área espiritual, precisamos aproximar, tanto quanto possível, nossas crenças fundamentais para que sejamos capazes de dialogar e crescer juntos.

Pelo fato de as crenças religiosas geralmente não serem tratadas com a devida profundidade no período do namoro, os casais costumam unir-se antes de perceber que há diferenças muito grandes entre as perspectivas religiosas de um e de outro. Essas diferenças podem estar entre eles ou entre o casal e os parentes dele ou dela. Sendo assim, como devemos lidar com essas diferenças? Qual é o papel que o respeito desempenha nessa questão?

Devemos começar admitindo a possibilidade de nunca sermos capazes de resolver todos os nossos conflitos religiosos. Os esforços no sentido de misturar várias religiões nunca foram muito eficazes. Em contrapartida, se tentarmos convencer os parentes do cônjuge de que suas crenças religiosas estão erradas, é provável que nossos argumentos não produzam efeito.

No entanto, quando optamos desde o início por respeitar a crença deles, estabelecemos uma plataforma sobre a qual podemos dialogar de fato. Nessa atmosfera, os dois lados conseguem compreender o sistema de crenças um do outro em maior profundidade e até levantar questionamentos sobre a fé sem desrespeitar o direito que as pessoas têm de crer naquilo que quiserem.

O respeito pelas crenças religiosas da família do cônjuge é um requisito fundamental no sentido de construir relacionamentos satisfatórios com sogros, genros e cunhados. Isso não quer dizer que você precisa concordar com as coisas nas quais eles crêem, mas que dá a eles a mesma liberdade de escolha que Deus garante a todos.

Não é possível que todas as religiões sejam verdadeiras, já que muitas delas contradizem outras. Geralmente, cremos que nossa fé é verdadeira. Contudo, os parentes de seu cônjuge têm a mesma opinião em relação àquilo em que crêem. O respeito pela liberdade de escolha de cada pessoa é o fundamento para um diálogo relevante. Com respeito, podemos chegar a um relacionamento significativo e positivo mesmo quando discordamos de certas crenças religiosas.

Eric e Jan eram cristãos fortemente comprometidos com sua fé. Ele foi criado em um lar metodista, enquanto ela cresceu em uma família presbiteriana. Ambos assumiram um compromisso com Jesus Cristo durante o período da faculdade. Eles adotaram a fé cristã durante o processo de amadurecimento, mas essa fé nunca influenciou profundamente o comportamento dos dois. Em uma turma de faculdade na qual a crença cristã era questionada o tempo todo por um professor incrédulo, eles foram desafiados a encontrar respostas aos ataques do mestre à validade da fé em Cristo.

Essa busca os levou à conclusão de que Jesus Cristo era mesmo divino; que sua vida, desde o início até o fim, evidenciava seu poder sobrenatural; e que sua ressurreição dos mortos legitimou seus ensinamentos. Assim, os dois se envolveram com um grupo de estudo bíblico e começaram a investir a vida em alcançar a população que vivia na problemática vizinhança da área da universidade. Eles sabiam que, ao terminar a faculdade, a vida de ambos nunca mais seria a mesma.

Logo depois da formatura, quando se casaram, eles não tinham idéia de como a religião viria a se tornar um fator de conflito entre o casal e seus pais. Eric e Jan se uniram a uma comunidade de fé. O pai dele perguntou:

— Qual é a denominação da igreja?

— Não é filiada a nenhuma denominação — respondeu Eric. — É apenas uma igreja cristã.

— Como pode ser uma igreja cristã e não ser ligada a nenhuma denominação?

— Não sei. Só sei que é uma igreja que ensina de acordo com as Escrituras e que as pessoas tentam seguir os ensinamentos de Jesus. Gostamos daquela comunidade e sentimos que é ali que devemos ficar.

— Não entendo por que vocês não se uniram a uma igreja metodista ou presbiteriana — insistiu o pai. — Por que tinham de se filiar a uma igreja sem nome? Para mim, essa turma está escondendo alguma coisa. Tem certeza de que não é uma seita?

Quando Jan contou aos pais que ela e Eric haviam se unido a uma comunidade de fé, a reação foi muito parecida.

— Para nós, você e Eric se filiariam a uma igreja presbiteriana ou metodista, pois foram criados nelas — disse a mãe de Jan.

— Eu preferia que vocês tivessem discutido a questão conosco antes de tomar essa decisão. Foi idéia sua ou dele?

— Foi dos dois, mamãe. É a igreja na qual cremos que Deus deseja nos ver congregando.

— Acho que vocês deveriam ter orado um pouco mais sobre isso — retrucou a mãe, saindo da sala.

Eric e Jan ficaram chocados com a reação de seus pais. Algum tempo depois, eles começaram a entender que os pais de Jan culpavam Eric por envolver a filha deles com uma igreja sem nome. O mesmo acontecia com os pais dele, que responsabilizavam a nora por isso. Com o tempo, a religião se tornou um assunto impossível de ser tratado com os pais de ambos, e o jovem casal teve de assumir as conseqüências da escolha que fez.

Quando me procuraram no escritório, pedindo ajuda, eu me solidarizei com a frustração que sentiam. Ao longo dos últimos trinta anos, encontrei inúmeros casais que viviam em conflito com os pais de um ou de outro por causa de desavenças religiosas.

— Não temos tantas diferenças assim — disse Eric. — Os ensinamentos básicos de nossa igreja são os mesmos da congregação de meus pais. De fato, nossa igreja tem um estilo de adoração mais contemporâneo e os membros se envolvem mais nos estudos bíblicos, nos encontros de oração e nos trabalhos de evangelismo para alcançar as pessoas da comunidade, ajudando-as em suas necessidades. Contudo, compartilhamos as crenças fundamentais. Não entendo por que isso acabou se transformando em um problema tão grande.

Ouvi cuidadosamente quando Jan também falou sobre suas lutas com os pais e sogros.

— Fico feliz que vocês tenham vindo — eu disse. — Seria terrível se vocês precisassem continuar passando por essa frustração pelos próximos vinte anos. Meu palpite é que a oposição de seus pais à filiação de vocês a uma comunidade de fé se baseia em medo e amor. Eles os amam muito, por isso desejam que vivam uma vida produtiva. A igreja que eles freqüentam sempre foi uma parte muito importante da vida ao longo dos anos, por isso querem o mesmo para vocês. O medo é baseado no desconhecido. Eles sabem como são uma igreja metodista e uma igreja presbiteriana, mas não sabem como funcionam as comunidades de fé. Por essa razão, receiam que se trate de uma seita de base cristã, mas que pode levar vocês dois a crenças e práticas que talvez os prejudiquem.

— Mas isso não é verdade — argumentou Eric.

— *Eu* sei que não é verdade, mas *eles* não sabem disso — continuei. — Todos nós tememos o desconhecido.

— Se é assim, como podemos ajudá-los a entender? — perguntou Jan.

— Tudo começa pelo respeito — respondi. — Vocês devem respeitar a escolha que eles fizeram e vice-versa.

— Nós respeitamos a escolha deles, mas eles não respeitam a nossa — disse Jan.

— Então, esperemos que isso mude — falei.

— Foi por isso que viemos aqui — comentou Eric. — Se eles simplesmente pudessem respeitar nossa escolha e confiar em nós do mesmo modo que confiamos neles, tudo estaria bem.

Aquela foi a primeira de uma série de sessões que tive com Eric e Jan. No espaço de seis meses, eles conquistaram o respeito dos pais de ambos. O processo começou com uma conversa aberta entre o casal e os pais de Eric. Ele foi o porta-voz, explicando que os dois gostariam de chegar a uma convivência harmônica em relação à opção de culto que fizeram, e que estavam dispostos a ouvir e tentar compreender as preocupações que os pais tinham em relação ao assunto, mas também desejavam compartilhar suas opiniões.

Eric sugeriu que começassem fazendo uma lista das crenças básicas da igreja metodista, da igreja presbiteriana e da comunidade de fé que o casal freqüentava para comparar as crenças e ver se havia diferenças relevantes. "Queremos entender vocês, assim como queremos que vocês nos entendam. Sabemos que vocês nos amam e que a intenção é a melhor possível." Os pais dele logo aceitaram o convite.

O casal teve uma conversa similar com os pais de Jan na qual ela foi a porta-voz. A reação deles foi igualmente positiva, e ficaram satisfeitos com a idéia de discutir a questão.

Quando eles compararam de fato as crenças fundamentais das três igrejas, todos concordaram em que não havia diferença entre as crenças básicas.

Eric também sugeriu que seus pais lessem uma breve história da Igreja Metodista, e Jan pediu a mesma coisa aos pais dela sobre a Igreja Presbiteriana. Os pais de ambos concordaram.

— A comunidade de fé que freqüentamos não tem muita história — disse Eric — mas vamos tentar descobrir como a igreja começou para contar a vocês.

Eles acabaram descobrindo que a motivação que levou à formação da comunidade de fé foi muito parecida com a dos primeiros seguidores de John Wesley, que fundou a Igreja Metodista, e a dos seguidores de John Knox, que fundou a Igreja Presbiteriana.

Enquanto isso, Eric e Jan visitaram a Igreja Metodista, com os pais dele, e a Igreja Presbiteriana, com os pais dela. Da mesma forma, os pais de ambos visitaram a comunidade de fé que eles freqüentavam. Nesse processo, os temores se desfizeram.

Eric e Jan agradeceram pelo fato de os pais se mostrarem dispostos a considerar a possibilidade de que a escolha do casal pela comunidade de fé fosse uma opção sábia. Logo todos já concordavam a respeito disso. Hoje em dia, de vez em quando eles visitam as igrejas uns dos outros em eventos especiais. Os pais passaram a respeitar a escolha de Eric e Jan, da mesma maneira que o jovem casal demonstrou respeito pela opção dos pais.

Infelizmente, nem sempre é possível chegar a tal grau de satisfação na solução das diferenças religiosas, mas esse caso serve como um ótimo exemplo de como tratá-las. Começar com respeito sempre ajuda em qualquer situação.

Respeito pela privacidade

Dei um pulinho no mercado para comprar cereais e leite. Quando entrei na seção de cereais, encontrei Tim e Marie. Eu os reconheci como participantes de uma aula sobre criação de filhos que havia ministrado pouco tempo antes. Depois de nos cumprimentarmos, Tim disse:

— Sei que este não é o lugar apropriado para uma sessão de aconselhamento, mas precisamos muito de ajuda com minha mãe e meu pai. Eles estão nos deixando loucos. Não queremos magoá-los, mas precisamos fazer alguma coisa a respeito.

— E qual é a situação? — perguntei.

— Nunca sabemos quando eles vão aparecer para nos visitar — contou Marie. — Eles não se preocupam em ligar para nos dizer que estão chegando. Simplesmente aparecem na porta. Às vezes é muito inconveniente. As crianças estão fazendo a lição de casa, ou então eu estou lavando roupa. Não tenho tempo de me sentar e conversar com eles, e as crianças precisam terminar a lição. O pior de tudo, e que é a razão de estarmos tão aborrecidos hoje...

Marie olhou para Tim, que continuou a conversa a partir dali:

— Na semana passada, colocamos as crianças na cama mais cedo para poder namorar um pouco. Justamente quando estávamos prestes a fazer amor, tocou a campainha da porta. Eram meus pais. Como você pode imaginar, aquilo arruinou a noite romântica que havíamos planejado.

— Não é justo — comentou Marie. — Estou começando a ficar muito chateada com eles. Eu gostaria de estabelecer horários mais convenientes de visita.

— Vocês já conversaram com eles sobre isso? — perguntei.

— Tentei há dois anos — respondeu Tim — mas minha mãe se aborreceu e ficou sem ligar nem nos visitar por quase um mês. Aí, de repente, eles apareceram em nossa casa um dia como se nada tivesse acontecido. Desde então, continuaram fazendo isso. Nunca mais falamos sobre o assunto.

— Com que freqüência eles aparecem? — eu quis saber.

— Pelo menos uma vez por semana — disse Marie — e não dão nenhum sinal de que vão nos visitar. Pode ser qualquer dia e a qualquer hora.

— Vocês costumam visitá-los?

— Sim — respondeu Tim — mas sempre ligamos antes de aparecer. Achávamos que, se ligássemos, isso daria a eles a idéia de que seria bom se fizessem o mesmo antes de nos visitar. Mas é óbvio que não funcionou. Na verdade, minha mãe me disse uma vez: "Vocês não precisam ligar antes de vir. Podem chegar a qualquer hora. São da família". Acho que temos idéias diferentes sobre o que significa ser uma família.

— A impressão que tenho é que o problema é falta de respeito — comentei. — Seus pais não estão respeitando a privacidade de vocês como uma família.

— Exatamente — concordou Marie. — Mas o que podemos fazer a respeito?

— Bem, vocês não conquistam respeito sendo desrespeitosos. Por isso, o que vocês não podem fazer é perder a paciência e descarregar a raiva sobre eles nem dizer que não têm consideração ou mesmo dizer que estão fartos de ver seus planos frustrados por causa deles.

— Até agora, não fizemos isso — disse Marie — mas pode acreditar que a tentação é grande.

— Sim, eu posso entender, mas penso que você percebe que isso só pioraria a situação.

— Não sei se tem mais alguma coisa para piorar.

— Bem, vamos nos concentrar no esforço para melhorar. Vocês devem conversar com eles sobre o problema. Deixar o tempo passar não vai resolver nada. Acho que vocês já viram isso.

Ambos balançaram a cabeça afirmativamente.

— Acho que Tim deve ser o porta-voz, já que se trata dos pais dele. A maneira de falar a respeito do problema é muito importante. Que tal se vocês começassem dizendo alguma coisa assim: "Mamãe, papai, amo muito vocês. Acho que vocês sabem disso. Marie também ama vocês, e nossos filhos consideram vocês avós maravilhosos. Queremos continuar mantendo um bom relacionamento com vocês e queremos que nossos filhos continuem adorando a sua companhia. Sei que vocês têm sempre a melhor das intenções e que nos amam do mesmo jeito que nós os amamos. Quero encontrar uma maneira de fazer o que possa ser bom para todos. Sei que, no passado, vocês me disseram que eu não precisaria telefonar quando fosse visitá-los ou passar para pegar alguma coisa na loja do papai, mas sempre achei que deveria respeitar a sua privacidade avisando sobre a minha chegada. Tenho a impressão de que um telefonema facilita as coisas para todo mundo. Às vezes, quando vocês aparecem em nossa casa sem ligar, a visita acaba sendo um pouco inconveniente. Por exemplo, na semana passada vocês chegaram por volta das oito da noite de terça-feira, quando tínhamos colocado as crianças na cama mais cedo para que pudéssemos namorar um pouco. Estávamos fazendo isso quando tocou a campainha e vocês entraram. Acho que dá para ter uma idéia de como aquele horário era inadequado para uma visita.

Marie interrompeu e disse a Tim:

— Você acha que pode dizer isso aos seus pais?

— Acho que sim — ele respondeu. — Na verdade, pode ser o único jeito de fazê-los entender o que está acontecendo.

— Em seguida — prossegui — vocês podem apresentar algumas alternativas sobre o que poderia ser feito para ajustar a situação, como um telefonema antes da visita. Caso não dê certo, sugiram o estabelecimento de horários mais convenientes. Outra idéia seria criar uma agenda semanal para essas visitas. Por exemplo, a noite de quinta-feira pode ficar reservada para "brincadeiras com os avós". Isso lhes permitirá planejar com antecedência e tornar essa noite muito divertida para todos. É claro que, vez por outra, vocês podem ligar e convidá-los para um jantar ou oferecer-se para ajudá-los em determinados projetos em outros dias da semana. Já desde o início da ligação, dêem a eles a opção de ir ou não. Assim, vocês mantêm a porta aberta e mostram que gostariam de recebê-los. O que vocês estarão comunicando a eles é o desejo de que se envolvam em seu dia-a-dia e na vida de seus filhos, mas que isso aconteça de um modo que seja agradável para todo mundo.

Tim e Marie continuaram atentos. Prossegui:

— Acho que, se vocês abordarem a questão dessa maneira, vão encontrar abertura por parte dos pais de Tim. Pode ser que eles não entendam totalmente o motivo de vocês estarem fazendo isso, mas acho que demonstrarão disposição para trabalhar juntos. Meu palpite é que a intenção deles não é arranjar problemas. Só querem se envolver na vida de vocês e dos netos. Acontece que o jeito de eles fazerem isso se tornou incômodo. Só isso.

— E se eles não aceitarem essas idéias e continuarem a aparecer à hora que bem entenderem? — questionou Marie.

— Nesse caso, vocês terão de optar por uma abordagem mais direta e dura. A essa altura, vocês precisarão marcar uma consulta comigo para que possamos discutir como demonstrar esse amor mais rigoroso a eles para que passem a respeitar sua privacidade. No entanto, eu acredito que, se vocês usarem a abordagem mais positiva, reafirmando o interesse deles e expressando apreço por tudo o que fazem por vocês, são maiores as probabilidades de eles reagirem bem ao seu pedido.

— Obrigado — disse Tim. — Agradeço por você se dispor a dedicar um tempo a esta conversa.

— Depois me contem o que aconteceu.

— Vamos fazer isso — comentou Marie — e espero que não tenhamos de marcar aquela consulta.

Acenei e peguei minha caixa de cereais.

Um mês e meio depois, aproximadamente, recebi uma ligação de Tim:

— Achei que deveria telefonar para contar como as coisas se resolveram. Tive aquela conversa com meus pais logo depois de nos encontrarmos no mercado. Papai foi muito compreensivo. Mamãe afirmou que estava magoada pelo fato de a situação ter chegado àquele ponto; ela achava que as famílias deveriam poder se visitar a qualquer momento que desejassem. Eu disse que entendia esse raciocínio, mas que não estava funcionando para nós. Acho que, após nossa conversa, meu pai deve ter falado com ela porque, uma semana depois, minha mãe parecia já estar bem adaptada ao novo sistema. Estabelecemos que toda quinta-feira à noite receberíamos a visita deles. Até agora, parece que está funcionando corretamente. Nós os convidamos para jantar no último sábado, e tudo correu muito bem. Posso sentir que ainda há certa tensão por parte de minha mãe, mas acho que ela está mudando de opinião. Agradeço realmente por sua ajuda com esse problema, pois estava se tornando muito grave.

— Fico feliz em saber que as coisas se ajeitaram — comentei. — Quando os pais demonstram respeito pela privacidade dos filhos e vice-versa, isso ajuda a manter o relacionamento entre eles mais saudável. Se eu puder ajudá-los de novo no futuro, podem me procurar.

— Obrigado — concluiu Tim.

Contei essa história porque a invasão de privacidade é uma área de freqüentes conflitos entre o casal e os parentes de cada cônjuge. Muitos esperam demais para tomar uma iniciativa, por isso chegam a um ponto no qual a raiva passa da conta e acabam descarregando tudo de uma só vez, usando linguagem pesada e comprometendo a relação familiar. Às vezes, esses relacionamentos problemáticos duram muitos anos. Entretanto, quando o jovem casal demonstra respeito pelas intenções dos pais e parentes e compartilha abertamente suas frustrações, a maior parte dos problemas pode ser resolvida.

Contudo, se os parentes insistem em se achar no direito de aparecer quando e como querem, o casal precisará mudar para uma abordagem mais dura, ainda que amorosa, o que pode significar receber os pais na porta e dizer: "Sinto muito, mas esta não é uma hora muito conveniente para vocês nos visitarem. Estou dando banho nas crianças para colocá-las na cama. Adoraria receber a visita de vocês, mas não é o momento mais apropriado. Se vocês quiserem, posso ligar amanhã e sugerir um horário que seja conveniente para todos nós".

Se esses pais ou parentes forem embora aborrecidos, a culpa não será de vocês, pois estarão fazendo o melhor para sua família e, em última análise, para o relacionamento com eles também.

Se vocês, de fato, telefonarem no dia seguinte e sugerirem um horário de visita, os pais ou parentes terão duas opções. Eles podem aceitar o convite e, caso isso aconteça, o padrão de invasão de privacidade provavelmente terá sido quebrado; ou dizer: "Não, obrigado. Agora o horário não é conveniente para nós", no que vocês podem responder: "Claro que entendemos. Avisem quando vocês gostariam de vir e tentaremos conversar".

Se eles não voltarem a fazer contato nas duas ou três semanas seguintes, não entrem em pânico. Eles ainda estão tentando processar os próprios sentimentos e pensamentos. Dêem-lhes tempo. Se não voltarem a telefonar, vocês podem ligar de novo alguns dias depois e fazer um novo convite. Caso não aceitem, talvez seja mais adequado não ligar mais e esperar que tomem a iniciativa.

De sua parte, vocês mantiveram a porta aberta para a continuidade desse relacionamento. Se eles optarem por permanecer obstinados, acusando vocês de expulsá-los de sua vida, fiquem tranqüilos. Vocês sabem que isso não é verdade. O objetivo era simplesmente tentar manter um relacionamento baseado no respeito à privacidade.

Respeito pelas idéias dos outros

Certa vez, o cunhado de Jeremy sugeriu que aquele seria um bom momento para ele vender a casa e comprar uma maior, não apenas porque Jeremy e Peggy estavam esperando um bebê, mas também porque "as taxas de juros nunca estiveram tão baixas. É um bom momento para vocês venderem a casa e comprar outra".

Até o cunhado aparecer com a idéia, Jeremy não estava pensando em se mudar. Quando ele e Peggy refletiram sobre a idéia, ambos concordaram em que o cunhado tinha razão. Imediatamente, começaram a procurar um imóvel que pudesse atender às necessidades da família e puseram a casa que tinham à venda.

Isso foi há cinco anos. Jeremy dizia a Peggy com freqüência: "Sou muito grato ao seu irmão por ter nos incentivado a mudar. A casa atual é muito melhor para nós do que a anterior, e pagamos praticamente a mesma coisa".

Seja qual for o assunto, todas as pessoas divergem em algum ponto. Nossas idéias se baseiam em nosso histórico, nossa educação, nossa vocação e nossa experiência social. Nenhum ser humano sabe todas as coisas. Por essa razão, costumamos procurar outras pessoas para que contribuam com sugestões em áreas da vida em que temos pouca experiência. Essa abertura às idéias dos outros é sinal de sabedoria. As Escrituras indicam que, quando buscamos o conselho sábio dos outros, é muito mais provável que tomemos uma decisão sábia (cf. Pv 11:14). A pessoa madura está sempre buscando a sabedoria, mesmo que venha das palavras da sogra. Quando os pais e demais parentes de um ou outro cônjuge fazem sugestões, as propostas que eles apresentam devem ser levadas em devida consideração. Afinal de contas, eles são mais velhos e, talvez, mais sábios do que nós.

Um bom exemplo da sabedoria de um sogro pode ser encontrado em Êxodo 18. Moisés estava trabalhando de manhã à noite no julgamento das contendas entre o povo de Israel. A sala de espera estava sempre lotada, e não havia horário nem para um cafezinho. O sogro de Moisés lhe disse:

> O que você está fazendo não é bom. Você e o seu povo ficarão esgotados, pois essa tarefa lhe é pesada demais. Você não pode executá-la sozinho. Agora, ouça-me! Eu lhe darei um conselho, e que Deus esteja com você! Seja você o representante do povo diante de Deus e leve a Deus as suas questões.
>
> Êxodo 18:17-19

Em seguida, o sogro de Moisés sugeriu que o povo fosse dividido em grupos de mil, cem, cinqüenta e dez pessoas e que a autoridade fosse delegada a outros homens qualificados que julgariam as pessoas que estivessem sob sua jurisdição. Moisés, então, estaria livre para passar mais tempo com Deus e ensinar ao povo a lei do Senhor. Desse modo, seu ministério seria mais *preventivo* do que *crítico*. Somente os casos complicados seriam levados a ele para ser jugados (cf. Êx 18:22).

Moisés percebeu que havia muita sabedoria naquela sugestão, por isso a adotou. Ao fazer isso, ele revelou ser uma pessoa madura. Ele não tinha de se revoltar contra uma boa idéia só porque vinha do sogro. Estava tão seguro de seu valor que era capaz de aceitar uma boa idéia, independentemente da fonte.

Respeitar as idéias de seus sogros, genros e cunhados e dedicar tempo para pensar nelas é um sinal de maturidade, e não de fraqueza. Em contrapartida, se você é o parente que está fazendo a sugestão ou dando o conselho, eu gostaria de incentivá-lo a respeitar a liberdade do casal. Não tente impor suas idéias aos outros. As idéias devem ser apresentadas como sugestões, e não como imposições.

Se você recebe um conselho e percebe que se trata de uma tentativa de controlar a sua decisão, então passa a ser sua a responsabilidade de ouvir com cuidado, pensar bem no assunto e, em seguida, tomar a decisão que acredita ser a melhor para você e sua família. Caso os pais ou parentes se aborreçam pelo fato de você não seguir a orientação deles, você pode agradecer-lhes por terem contribuído com idéias e sugestões. Mostre que você pensou muito na idéia, mas que tomou a decisão que julgava mais adequada. Respeitar as idéias dos outros não significa que tenhamos sempre de fazer o que eles sugerem. Afinal de contas, a responsabilidade pela decisão está toda sobre os seus ombros, e não sobre os deles.

Respeito pelas peculiaridades de pais e parentes

Alguém já disse: "Todas as pessoas são diferentes, mas algumas são mais diferentes que as outras". Quando você começa a conhecer os pais e os irmãos do cônjuge, pode ser que depare com determinados comportamentos que considerará esquisitos. Talvez seu cônjuge não ache tão estranhos porque foi criado naquele ambiente.

Por exemplo, Pam achou muito esquisito o fato de seu sogro passar todos os sábados sozinho, longe da família. Durante a estação de caça, ele saía para a floresta. Quando não estava caçando, ia pescar ou jogava golfe. Ele via o sábado como seu dia de recreação, ao qual se referia usando o termo "re-criação". "É minha maneira de me recuperar de uma semana de trabalho duro", ele dizia.

Pam achava isso injusto com a esposa e os filhos do sogro, mas eles pareciam considerar aquilo muito normal. Então ela perguntou ao marido, Phil:

— O seu pai nunca levava você para pescar com ele?

— Sim, levava — respondeu Phil — mas nunca aos sábados.

— E as caçadas?

— Caçamos juntos algumas vezes, mas não aos sábados.

— E jogavam golfe juntos?

— Não. Ele dizia que golfe era esporte para homens, e não para garotos.

— Você nunca quis caçar, pescar ou jogar golfe no sábado com seu pai? — Pam quis saber.

— Sim, mas a minha mãe me dizia que era o dia de descanso dele, por isso eu passava o sábado brincando com meu irmão e com os meninos da vizinhança.

— Você acha que a sua mãe ficava ressentida pelo fato de seu pai passar o sábado inteiro fora de casa?

— No início, acredito que sim — disse Phil — mas penso que, com o tempo, ela passou a aceitar aquela situação. Nunca os vi brigando por causa disso.

— Bem, você sabe que eu nunca aceitaria esse tipo de situação em nosso relacionamento, não é?

— Sim, você não precisa se preocupar. Eu quero passar meus sábados com você e com meus filhos. Não tenho nenhuma vontade de me isolar em meus momentos de lazer.

— Que bom — disse Pam — pois, se você fosse como seu pai, teríamos um sério problema.

Pam queria muito dizer ao sogro: "Você tem idéia de quão tolo tem sido todos esses anos? Consegue entender como foi egoísta? Em minha opinião, você tem sido um péssimo modelo de pai e marido". No entanto, ela foi sábia o suficiente para saber que, se agisse dessa maneira, faria dele um inimigo. Também percebeu que não era papel dela dizer ao sogro como deveria viver sua vida. Pam optou por aceitar aquilo como parte da personalidade do sogro, ainda que não conseguisse entender. Se a sogra era capaz de admitir essa filosofia do marido, então ela teria de aceitar isso também, embora, em sua opinião, fosse um hábito muito estranho.

Pequenas coisas relacionadas aos parentes do cônjuge podem se tornar muito irritantes. Marcy ficava aborrecida porque seu cunhado nunca abria a porta do carro para a esposa. Além disso, ele usava boné o tempo todo, mesmo dentro de casa. A mãe de Marcy havia ensinado a ela e à irmã que bonés eram para ser usados nos jogos e que qualquer tipo de chapéu deveria ser tirado quando um cavalheiro entrasse em uma casa. Marcy via o cunhado como um sujeito rude e achava que sua irmã era desrespeitada por ele. Para ela, a irmã havia se casado com um homem que não tinha a menor consideração pelos outros.

Quando Marcy tocou no assunto, a irmã disse: "Sim, eu preferiria que meu marido abrisse portas para mim e que tirasse o boné ao entrar na casa das pessoas. Mas ele é um homem muito bom e me trata tão bem que não tenho coragem de discutir por causa disso. Pensando de maneira geral, é pouca coisa para justificar uma briga".

Depois de ter dado sua opinião e ouvido a resposta da irmã, Marcy decidiu não se importar mais com aquilo. Ela ainda tinha suas opiniões e preferências e, se fosse com ela, nunca aceitaria aqueles hábitos por parte do marido. Mas, se a irmã não se importava, Marcy não faria disso um cavalo-de-batalha com o cunhado.

Há milhares de motivos para nos irritarmos com os parentes do cônjuge. Contudo, devemos ser cuidadosos nas contendas que escolhemos. Não vale a pena brigar por algumas coisas, e há outras que claramente não nos dizem respeito. Aprender a respeitar as peculiaridades dos parentes do cônjuge é necessário quando buscamos harmonia no relacionamento com eles. Na verdade, se tivéssemos de brigar com essas pessoas a cada questão que nos aborrece, passaríamos o resto da vida em um campo de guerra.

Os parentes do cônjuge não precisam ser nossos inimigos. Pelo contrário, é melhor que os tenhamos como amigos. Demonstrar respeito pelas tradições, pelas crenças religiosas, pela privacidade, pelas idéias e pelas peculiaridades é um bom caminho para chegar a essa harmonia.

Colocando os princípios em prática

Que lutas você enfrenta nas seguintes áreas?

1. Em relação a tradições e datas especiais.
2. Em relação a diferenças religiosas.
3. Em relação à privacidade.
4. Em relação às idéias dos parentes do cônjuge.
5. Em relação às peculiaridades deles.

Converse sobre isso com seu cônjuge e veja como vocês podem aprimorar o relacionamento com sogros, genros ou cunhados a partir do respeito mútuo.

3

Fale por você

A FRUSTRAÇÃO NOS RELACIONAMENTOS COM PARENTES do cônjuge geralmente se torna tão intensa que nos leva a dizer o que não deveríamos. Tentamos ouvi-los antes de falar e respeitá-los, mas as coisas só fazem piorar. Assim, chegamos ao ponto de perder o controle e partir para o ataque. Lembro-me de Margot, que disse: "Não posso acreditar que chamei minha nora de vagabunda. Acho que perdi a paciência com o comportamento dela, que é muito exibida. Ela se veste como uma prostituta, por isso falei aquilo. Não sei se ela vai voltar a conversar comigo algum dia, e meu filho também está aborrecido comigo".

Margot estava seguindo um padrão muito comum nesse tipo de relacionamento. Todos temos percepções pessoais do que há de errado nos outros. Permitimos que nossas mágoas e nossos ressentimentos cresçam para depois atacarmos com palavras grosseiras das quais nos arrependemos mais tarde. Muitas dessas palavras de condenação são caracterizadas pela presunção de que podemos falar pelos outros. Ou seja, chegamos a certas conclusões a respeito das pessoas e achamos que, com isso, as conhecemos. Determinamos o que devemos pensar sobre seu comportamento e passamos a falar em nome delas. "Você é irresponsável e não tem respeito com ninguém."

O que Margot disse no calor da ira foi: "Sua vagabunda. Você se veste como uma prostituta, e fico até surpresa de que nunca tenha sido estuprada. Você vai destruir seu casamento. Por que você não pensa nas crianças?". Cada frase com o pronome "você" funcionava como uma pequena granada lançada contra o relacionamento das duas. Se Margot não se desculpar com sinceridade, a nora jamais voltará a falar com ela.

Quando começamos uma frase com "você", falamos como se tivéssemos o conhecimento definitivo da situação. Na realidade, estamos apenas expressando nossa percepção a respeito da pessoa. Tais declarações são recebidas como condenatórias, e é provável que venham a estimular uma reação defensiva por parte dos parentes do cônjuge. Acabamos envolvidos em uma enorme discussão, e ambos se vão ressentidos um com o outro.

Há uma técnica simples que ajudará você a quebrar esse padrão destrutivo. É chamada "fale por si". Começa com você aprendendo a fazer declarações em primeira pessoa em vez de usar o pronome "você". Por exemplo: "Eu estou magoado" em vez de: "Você me magoou". Se você começa sua frase com "eu", significa que está revelando ou registrando os seus sentimentos. Se começa a frase usando o pronome "você", trata-se de um ataque. Declarações do tipo "você" são como bombas verbais. Elas provocam mágoa, ressentimento e, com freqüência, geram contra-ataques. Já as declarações do tipo "eu" revelam a existência de um problema sem condenar a outra pessoa.

A nora de Margot não era uma mulher imoral. Apesar de ter idéias bem diferentes das da sogra no que diz respeito a se vestir com moderação, ela não tinha a intenção de atrair outros homens. Se Margot tivesse usado declarações do tipo "eu" para veicular suas preocupações, o resultado certamente seria bem diferente. Ela deveria ter dito: "Temo um pouco por seu casamento.

Acredito que muitos homens podem interpretar mal o seu comportamento, considerando-o uma espécie de convite. Não acho que seja essa a sua intenção. Por isso, não estou fazendo nenhuma crítica, apenas expondo minha preocupação. Quero o melhor para você e Jerry".

A nora até poderia ficar magoada ou aborrecida, mas é provável que conseguisse lidar com seus sentimentos e entendesse as preocupações de Margot. Quando você fala por si, suas declarações têm legitimidade. Está revelando os *seus* pensamentos, os *seus* sentimentos, os *seus* desejos e as *suas* percepções. "Eu acho..."; "Eu sinto..."; "Eu gostaria..."; "Minha percepção a respeito disso é..." Todas essas declarações são válidas porque revelam o que está se passando em *seu* interior. Você está falando por si.

Quando faz declarações do tipo "você", está sempre errado porque nunca sabe tudo o que está se passando no interior do outro. Mesmo quando você faz uma declaração positiva, está falando de coisas que estão além de seu conhecimento. "Você é a pessoa mais bonita do mundo." Essa é, com certeza, uma declaração positiva, mas não é válida porque está falando por todas as pessoas do mundo. Sabemos o que você quer dizer com isso, e essa frase provavelmente será recebida como um elogio. No entanto, seria mais realístico dizer: "Eu acho você a pessoa mais bonita que já vi". Agora a declaração parece sincera, e não apenas bajulação.

Quando você expressa idéias negativas, é ainda mais importante falar por si. Betty, mãe de Neal, falou coisas deselegantes sobre a mulher dele, Jan. Ela acusou a nora de ser preguiçosa.

— Por que ela não trabalha? — perguntou ao filho. — Ela deveria ajudá-lo. Juntos, vocês poderiam juntar dinheiro suficiente para comprar uma casa e não ter de gastar com aluguel.

Betty continuou com seu discurso crítico, que concluiu assim:

— Meu bem, eu só quero o melhor para você. Detesto ver Jan desperdiçando o tempo dela.

Por dentro, Neal queria dizer: "Você não está entendendo. Acontece que você não tem o direito de criticar Jan. Precisa calar a boca e não se meter em nossa vida". Felizmente, Neal havia se disciplinado na prática de falar por si. Por isso, ele disse:

— Fico feliz que você tenha compartilhado sua opinião comigo. Eu não sabia que você pensava assim. Posso entender sua preocupação e sou grato por isso. No entanto, preciso dizer-lhe que eu e Jan conversamos sobre esse assunto e concordamos em que seria melhor se ela terminasse a faculdade primeiro. Ela está recebendo aulas pela internet e vai terminar em maio. Ambos nos sentimos bem em relação ao que estamos fazendo, mas agradeço por você falar sobre suas preocupações.

Ao falar por si, Neal evitou uma briga desnecessária com a mãe. Quando os parentes de um dos cônjuges se dirigem ao outro com palavras de condenação, o contra-ataque dá início a uma guerra sem sentido. É bem melhor responder com declarações do tipo "eu", que revelam sua opinião de maneira positiva.

O maior obstáculo para quem decide assumir essa postura de falar por si são as emoções negativas. Mágoa, raiva, ressentimento e medo nos induzem a revidar. Mas o revide conduz a discussões, que por sua vez levam ao rompimento das relações. É por isso que sugiro o seguinte: quando você for atacado por um sogro, genro ou cunhado, respire fundo e com calma e fique em silêncio por algum tempo. Isso pode ajudá-lo a optar pela abordagem do tipo "eu", e não do tipo "você".

Falar por si é um padrão de discurso que se aprende. A maioria de nós cresceu recebendo mensagens do tipo "você". "Você me decepcionou" e "Você me desobedeceu" eram as mensagens que você ouvia de seus pais. "Você me dá raiva", "Você mentiu para mim" e "Você é irresponsável" eram declarações que seus pais talvez fizessem um ao outro.

Como proceder para rompermos com esse padrão condenatório e destrutivo? Por meio da escolha consciente. Em primeiro lugar, você precisa reconhecer o valor que há na postura de falar por si. Em seguida, é preciso tentar agir assim. Talvez ajude se você se colocar diante do espelho e disser: "Eu me sinto magoado"; "Eu estou decepcionado"; "Eu me sinto como se você tivesse me enganado"; ou: "Eu acho que você não confia em mim". Quando você treina declarações do tipo "eu", maiores são as chances de usá-las no contexto das conversas.

Você não dominará a arte de falar por si da noite para o dia. De vez em quando, deve se flagrar começando uma frase com "você". Quando isso acontecer, pare de falar e mude o discurso: "Vou recomeçar. Eu acho que o que você está fazendo..." Ao agir assim, você não apenas estará aprendendo a falar por si, como também servirá de exemplo.

Com o tempo, você aprenderá a falar por si. Quando fizer isso, terá desenvolvido uma importante habilidade: a de cativar a amizade dos parentes de seu cônjuge.

COLOCANDO OS PRINCÍPIOS EM PRÁTICA

1. Ao conversar, procure ouvir a si mesmo. Quantas de suas frases começam com "Você...", especialmente quando está aborrecido? Declarações do tipo "você" estimulam brigas.
2. Da próxima vez que tiver sentimentos negativos, pare na frente do espelho e fique treinando frases como: "Eu estou magoado"; "Eu estou com raiva"; "Eu estou decepcionado"; ou: "Eu me sinto como se você tivesse me

magoado". Em seguida, use as declarações do tipo "eu" apropriadas ao falar com a pessoa que provocou sua raiva.

3. Quando começar sua frase com: "Você me faz...", pare na mesma hora e fale em vez disso: "Vou refazer minha frase. Eu me sinto magoado quando você diz..."

4

Procure negociar

— Por que não podemos visitar a vovó? — pergunta a criança de sete anos.

— Porque a vovó não quer nos ver agora — responde a mãe.

— Por quê? — insiste a criança.

— Porque, da última vez que estivemos lá, seu irmão riscou a parede da casa da vovó com giz de cera. Ela quer esperar até você e seu irmão ficarem mais velhos para depois podermos visitá-la.

— Eu não vou riscar as paredes.

— Eu sei disso, meu bem, mas a vovó não sabe. Ela gastou muito dinheiro para mudar o papel de parede e, por enquanto, está aborrecida.

— Quando ela vai deixar de ficar aborrecida?

— Não sei. Neste momento, estamos tentando resolver essa situação.

"Estamos tentando resolver essa situação." É nisso que consiste a negociação. Negociar é discutir uma questão com o objetivo de chegar a um acordo. Negociação é o oposto da obstinação e do ressentimento. Quando negociamos, estamos optando por crer que há uma resposta e, com a ajuda de Deus, nós a encontraremos.

Por que negociar é tão importante? Porque, sem negociação, os relacionamentos rompidos podem permanecer assim por anos.

Imagine que coisa trágica se, aos 12 anos, a menina mencionada no início continuasse a perguntar à mãe: "Por que não visitamos a vovó?". Quando não negociamos as nossas diferenças, permitimos que muros se levantem entre nós e nossos parentes, e o potencial de estabelecimento de uma amizade com eles é muito reduzido.

A raiva costuma ser inimiga da negociação. Ao ler a história que abre este capítulo, talvez você tenha pensado: "Se a avó se sente assim, então é melhor esquecer. Eu nunca mais levaria meus filhos para vê-la de novo. Se as paredes da casa dela são mais importantes que meus filhos, então eu não tenho o menor interesse em manter um relacionamento com ela". Embora esse tipo de raciocínio seja compreensível, ele acabaria com qualquer chance de negociação e manteria o relacionamento com a sogra destruído para o resto da vida. Todo mundo perde quando permitimos que a raiva nos induza a uma postura complacente de oposição.

Um relacionamento saudável com os parentes do cônjuge exige negociação por uma razão bem simples: todos somos humanos. Seres humanos são diferentes no modo de pensar, sentem emoções diferentes e reagem de maneira diferente a elas. Sem negociação, permitimos que nossas diferenças se tornem um fator de divisão. Alguns dos momentos mais dolorosos pelos quais passei aconteceram no consultório de aconselhamento ao ouvir as histórias de parentes que não se falavam havia anos porque alguém se recusava a negociar. Em nome de seu cônjuge e de seus filhos, eu peço a você que deixe sua obstinação e aprenda a arte da negociação.

Acabamos de analisar três habilidades especiais que preparam você para a negociação. Em primeiro lugar, discutimos a necessidade de ouvir antes de falar. Faça perguntas que lhe permitam entender o raciocínio e os sentimentos desses parentes. Em segundo lugar, demonstre respeito pelas idéias que eles defendem. Pode ser que você não concorde com essas idéias, mas estará dando a eles a liberdade de ser humanos, o que significa que eles possuem uma opinião diferente da sua. Finalmente, fale por si. Faça declarações do tipo "eu", e não do tipo "você". Com essas habilidades em mente, quero compartilhar alguns passos no processo de negociação.

FAÇA PROPOSTAS

A negociação começa com alguém fazendo uma proposta. Alguém precisa quebrar o silêncio. O silêncio indica que alguma coisa está errada. Alguém fez ou disse algo que ofendeu um parente. Talvez tenhamos trocado alguns insultos e, em seguida, resolvemos não nos falar mais. Ou então entramos imediatamente no modo silencioso, sem dizer nada em voz alta, mas falando sozinhos e afundando em mágoa e raiva.

O silêncio momentâneo pode ser uma reação positiva à raiva, mas ele nunca pode se tornar um estilo de vida. Dê a si mesmo tempo para *esfriar* em termos emocionais. Em seguida, é hora de fazer uma proposta. Espera-se que o silêncio dure apenas um ou dois dias, no máximo. Quanto mais tempo durar, mais difícil será quebrá-lo. Contudo, quebrar o silêncio é uma necessidade, se é que desejamos, de fato, desenvolver o relacionamento com os parentes do cônjuge.

Martha, a mãe da criança que havia rabiscado as paredes da casa da avó, ligou para a sogra e disse:

> Eu me sinto muito mal mesmo por Jason ter rabiscado suas paredes. Se eu tivesse o dinheiro, pagaria para consertá-las. Não tenho o dinheiro, e isso faz com que eu me sinta ainda pior. Quero

> que meus filhos tenham um bom relacionamento com você, por isso fiquei pensando se poderíamos nos encontrar no parque na quinta-feira, às duas da tarde. Os dois querem vê-la. Será que há alguma possibilidade de colocar esse encontro em sua agenda?

Com tal proposta, Martha se desculpou pelo comportamento do filho e expressou seu arrependimento e o desejo de consertar as coisas. Ela também ofereceu uma oportunidade para que a sogra pudesse ver os netos em um ambiente no qual não haveria o risco de danos a seu patrimônio. Se a sogra responder positivamente, então o relacionamento está prestes a ser restaurado.

As propostas devem ser realistas e levar em conta a ofensa que foi cometida. Isso geralmente significa que começamos com um pedido de desculpas, aceitamos a nossa responsabilidade e demonstramos disposição para fazer a restituição do dano, quando possível. O pedido de desculpas é seguido de uma proposta que abre a oportunidade para a continuidade do relacionamento. Pode ser que você continue magoado e não entenda por completo o motivo de seu parente estar tão ofendido, mas significa que optou por buscar uma negociação em vez de se recolher em seu ressentimento. Sua proposta abre a oportunidade para que os dois avancem em uma direção positiva.

Boas propostas são específicas, e não generalizadas. Em vez de dizer: "As crianças realmente sentem a sua falta, e eu espero que possamos nos encontrar logo", a proposta de Marta foi que marcassem um dia, um horário e um lugar específicos. Propostas generalizadas são muito nebulosas e pouco úteis. Se Martha oferecesse uma proposta generalizada, a resposta da sogra poderia levar muitas semanas ou meses. Quando ela fez uma proposta específica, ficou mais fácil para a sogra dar uma resposta. Assim, o processo de reconciliação poderia prosseguir mais rápido.

John e Kim estiveram em meu escritório reclamando do pai dele, que havia oferecido chiclete aos dois filhos do casal, mesmo depois de eles pedirem que o avô dos meninos não o fizesse. Eles estavam cogitando a idéia de não permitir mais que os filhos ficassem com os avós porque já não confiavam no pai de John.

Sendo eu mesmo um avô, fiquei rindo por dentro, mas sabia que John e Kim estavam falando sério. Para eles, não se tratava apenas de uma questão de as crianças mascarem chiclete. Era uma questão de confiança. Eles achavam que, se não podiam mais confiar no pai de John para cumprir as regras expressas, talvez fosse melhor manter as crianças longe dele.

Ouvi tudo com atenção, fiz perguntas esclarecedoras e, em seguida, disse aos dois: "Acho que entendo a sua preocupação. Tenho certeza de que, se estivesse no lugar de vocês, eu também me sentiria assim. Agora, permitam que eu dê a minha opinião". (Como é mesmo aquela história do bom ouvinte?)

Reconheci que John e Kim tinham toda a liberdade para manter os filhos longe do pai dele, mas, em minha opinião, a negociação seria melhor opção comparada ao silêncio. A obstinação acaba com a oportunidade de desenvolver o relacionamento, enquanto a negociação abre as portas para a possibilidade de aprimorar a relação.

Sugeri que eles fizessem uma proposta positiva ao pai de John. A proposta deveria envolver uma conversa na qual diriam como estavam decepcionados pelo fato de ele não ter seguido as regras. Eles também explicariam o motivo da proibição do chiclete. (Era uma recomendação do dentista.) John e Kim sabiam que o pai dele gostava de jogar banco imobiliário. Por isso, eles diriam: "Sabemos que as crianças o amam e que você as ama e desejamos que vocês continuem tendo um bom relacionamento.

Portanto, daremos a você um cartão de anistia por esse erro. Mas, da próxima vez que você der chicletes a eles, vai ficar sem o prêmio. Entendeu?".

Eu os incentivei a fazer tudo isso com um sorriso no rosto. Eles concordaram em que, se o pai de John recebesse bem aquela proposta, as visitas continuariam normalmente. Contudo, se reagisse com raiva e lhes dissesse que não tinham o direito de determinar o que ele deveria ou não fazer com os netos e que daria chicletes às crianças na hora que bem entendesse, diriam: "Se a sua decisão é essa, então teremos de manter as crianças afastadas. Se você mudar de idéia um dia, permitiremos que elas o vejam".

Todos nós sabíamos que, se essa segunda hipótese ocorresse, a mãe de John tentaria convencer o pai dele. Assim, em questão de algumas semanas, ele tomaria a decisão de nunca mais dar chicletes às crianças. Nesse ponto, eles poderiam fazer nova proposta. Talvez o próprio pai de John viesse a ligar com outra proposta.

Se o pai de John tivesse assumido uma atitude ostensiva, ele teria indicado que não estava aberto a negociações. Em casos assim, devemos nos retirar por determinado período antes de apresentar uma proposta diferente. Mas era possível que o pai de John voltasse atrás e dissesse: "Podemos criar duas exceções? Primeiro, eu poderia dar chicletes a eles no dia do aniversário. Em segundo lugar, eu daria a eles um biscoito, em vez de uma goma de mascar, de vez em quando". Aquilo demonstraria uma abertura à negociação, o que daria a John e Kim a chance de dizer: "Concordamos em que as crianças possam ganhar chicletes uma vez por ano, no dia do aniversário. Os biscoitos só podem ser servidos como sobremesa, nunca entre as refeições".

O pai de John poderia aceitar a contraproposta ou oferecer uma alternativa, e juntos eles chegariam a um acordo. Tal é o propósito da negociação, que nos leva ao segundo passo nesse processo.

SEJA RECEPTIVO AO DIFERENTE

Fazer uma proposta é o primeiro passo no processo de negociação. O segundo passo é: ouça com atenção as contrapropostas. Lembre-se, negociação tem a ver com duas pessoas tentando se entender e chegar a um acordo pelo qual ambas se sintam bem. Por sermos diferentes, temos idéias diferentes. Uma proposta abre a oportunidade para o diálogo. Ouço cuidadosamente a sua proposta. Em seguida, apresento minhas opiniões e meus sentimentos e sugiro uma mudança grande ou pequena no que você está propondo. Aí você tem a oportunidade de ouvir minha contraproposta e, talvez, fazer outra contraproposta. O processo de ouvir, compreender e buscar um acordo constitui uma negociação.

As pessoas que aprendem a negociar bem são aquelas que aprendem a respeitar as idéias dos outros, mesmo quando isso lhes desagrada. Ouvimos porque respeitamos essas pessoas como indivíduos e queremos compreender o que se passa na mente e no coração delas. Se você não entender bem a proposta, use todos os meios possíveis para fazer perguntas esclarecedoras.

Por exemplo, o pai de John poderia perguntar: "Você está dizendo que não quer que as crianças masquem chiclete porque acha que o açúcar faz mal a elas?", ao que Kim poderia responder: "Nossa preocupação é com os dentes das crianças. Nosso dentista aconselhou a não permitir que as crianças mascassem chiclete porque os dentes delas estão em um estágio crucial de desenvolvimento, e ele acha prejudicial". Se o pai estivesse disposto a fazer perguntas esclarecedoras, ele entenderia a situação com mais facilidade.

Quando fazemos uma proposta, devemos esperar uma contraproposta. Não devemos entrar na negociação com uma atitude do tipo: "Se não for do meu jeito, não será de jeito nenhum", e sim com uma postura como esta: "Eis aqui uma idéia que acho que vai funcionar. O que acha dela?". Estamos prontos para ouvir o que as pessoas têm a dizer e sugerir. É essa abertura a idéias alternativas que nos dá a capacidade de chegar a um acordo.

Quando somos rígidos em nossas idéias e não demonstramos disposição de pensar em alternativas, bloqueamos o processo de negociação. Tenha em mente que há razões por trás das contrapropostas dos parentes de seu cônjuge. Se essa contraproposta não parecer lógica, continue fazendo perguntas para que eles possam esclarecer por que consideram a idéia plausível.

A negociação é um processo de propostas e contrapropostas no qual todas as partes envolvidas buscam um acordo. Se vocês estiverem dispostos a dar prosseguimento ao processo de negociação, é bem provável que cheguem a esse acordo.

Tente encontrar uma solução em que todos ganhem

O terceiro passo no processo de negociação é encontrar um resultado que ambas as partes considerem plausível. Pode não ser o que vocês desejavam no início da negociação, mas será uma solução capaz de atender a suas principais expectativas. Ambas as partes sairão do acordo sentindo que deram um passo positivo no sentido de desenvolver o relacionamento. É isso de que eu gosto na negociação. Acabamos seguindo juntos em uma direção positiva. Isso faz bem à relação entre os familiares.

Betsy e Bill estavam enfrentando um problema com a mãe dela, Joyce, que os avisou de que levaria os netos à praia nas férias, na segunda semana de junho. Ela deu a notícia em janeiro para que eles não pudessem dizer que foram pegos de surpresa. O problema é que Bill e Betsy já haviam feito a inscrição das crianças em um acampamento da igreja que seria realizado na mesma época.

Joyce ficou chocada e com raiva pelo fato de eles terem tomado aquela decisão sem falar com ela.

— Eu disse a você que queria levar as crianças para a praia nas férias no próximo verão. Por que você não discutiu isso comigo antes de inscrevê-las no acampamento? — Joyce perguntou.

— Mamãe, o acampamento infantil só é realizado em uma semana por ano. Se eles não forem nessa época, não podem mais ir. Queríamos muito que eles fossem ao acampamento neste ano. Presumimos que você poderia levá-los à praia em outra semana qualquer do verão.

— Bem, eu poderia, mas já aluguei uma casa na praia e não sei se poderei reaver o dinheiro.

— Então talvez você devesse ter conversado conosco antes de alugar a casa — argumentou Betsy. — Parece que faltou comunicação das duas partes.

Ambas tinham boas intenções. Elas queriam fazer alguma coisa importante para as crianças. A crise se desenvolveu por falta de comunicação.

Situações como essa surgem com freqüência nos relacionamentos entre os casais e seus pais. Elas exigem negociação. Alguém precisa fazer uma proposta para dar início ao processo. Nesse caso, a mãe de Betsy fez a primeira proposta:

— E se eu ligar para a imobiliária para tentar passar o aluguel para outro período das férias de verão?

— Parece um bom ponto de partida — respondeu Betsy. — Com certeza, adoraríamos se as crianças pudessem passar uma semana com você na praia. Sei que elas iriam aproveitar muito.

Três dias depois, a mãe de Betsy voltou com a notícia:

— Eles me permitiram passar o período do aluguel para outra semana, mas terei de pagar uma multa. Tentei conversar com eles para que me isentassem dessa multa, mas alegaram que essa é a política da empresa. Detesto jogar dinheiro fora assim. Você já confirmou com a igreja para ver se o acampamento das crianças é mesmo naquela semana? Não existe nenhuma chance de eles mudarem a data até lá, não é?

— Já confirmei — disse Betsy — e eles já alugaram o local. É na mesma semana em que realizam o acampamento todo verão, e não vão mudar.

Em seguida, Betsy fez sua proposta:

— E se eu e o Bill pagássemos a multa para você? Seria um pequeno investimento para nós, considerando que as crianças teriam a oportunidade de passar a semana inteira com você na praia. Não nos importaríamos em fazer isso. Sei que você já está gastando muito para alugar a casa pela semana inteira. É o mínimo que podemos fazer.

— Eu não gostaria que vocês tivessem de fazer isso — respondeu Joyce. — É dinheiro jogado fora.

— Não vejo isso como um desperdício, mamãe. Para mim, trata-se do preço que estamos pagando por não termos conversado antes de tomar nossas decisões. Por isso, vamos encarar tudo isso como uma experiência de aprendizado. Acho que ambas aprendemos a importância de nos comunicarmos antes de assumir compromissos.

Joyce concordou, e o problema foi resolvido. As duas ficaram satisfeitas e se sentiram bem em relação à decisão que haviam tomado.

Quando ambas as partes saem vencedoras, sabemos que a negociação foi bem-sucedida. Quando uma das partes fica ressentida, é sinal de que a negociação deve prosseguir. Nosso objetivo deve ser sempre o de chegar a um acordo em que ambas as partes se sintam vencedoras. Repare que intitulei este capítulo de "Procure negociar". Eu não seria honesto se não admitisse que há alguns casos nos quais os parentes do cônjuge não se dispõem a negociar. Essas pessoas são muito teimosas. Se você não concordar com elas, então terá problemas. No entanto, mesmo nesses casos, incentivo-o a buscar a negociação. Faça uma proposta. Quem sabe? Talvez elas concordem. E, se isso acontecer, o problema se resolve. Em contrapartida, é possível que elas não se mostrem muito dispostas a ceder.

Se você pode aceitar a posição delas, ótimo. Caso contrário, tem de tomar uma decisão. Será que vai desistir e admitir que o relacionamento está prejudicado? Ou aceitará alguma coisa com a qual não concorda só para manter a paz? Você terá de decidir se a questão é ou não suficientemente importante para romper essa relação. Podemos conviver com algumas contingências, mesmo que não gostemos delas. Outras são muito grandes para que a aceitemos com facilidade. Nem todos os relacionamentos ruins com os parentes do cônjuge podem ser restaurados, mas sempre vale a pena se esforçar para buscar uma negociação.

Colocando os princípios em prática

1. Há algum parente de seu cônjuge com o qual você precisa iniciar uma negociação, fazendo uma proposta? Se a resposta for "sim", por que não quebrar o silêncio e apresentar essa proposta? Dê o primeiro passo na negociação.
2. Algum desses parentes já fez uma proposta a você? É possível aceitá-la ou você precisa oferecer uma contraproposta?
3. Você está disposto a ouvir as idéias dos parentes de seu cônjuge ou prefere assumir uma atitude do tipo: "Se não for do meu jeito, não será de jeito nenhum"?

Negociar é discutir uma questão com o objetivo de chegar a um acordo. Peça a Deus que o ajude a aprender a arte da negociação.

5

Peça, não exija

Nos últimos anos, temos ouvido muita coisa sobre os "direitos dos avós". Lembro-me de uma avó que me disse o seguinte:

— Nossa filha não permite que vejamos nossos netos. Estamos pensando em processá-la. Não está certo esse negócio de nos manterem afastados das crianças.

— O que eles alegam para justificar essa proibição? — perguntei.

— Eles dizem que é porque temos cerveja e licor em casa. Meu marido, George, é alcoólatra, e eles alegam que não desejam ver as crianças se tornando dependentes de bebida também. Mas isso é um absurdo. George é alcoólico há vinte anos. Eu não bebo nada com álcool e tenho vivido com ele todos esses anos. Conviver com um alcoólatra não faz de ninguém um dependente de bebida.

— Há quanto tempo eles mantêm os filhos afastados de vocês?

— Desde o último Natal. Há mais ou menos nove meses.

— Aconteceu alguma coisa nesse Natal que os tenha influenciado a tomar essa decisão? — eu quis saber.

— Bem, certa noite, George bebeu demais — ela contou. — Ele estava meio alegre. Então colocou um pouco de cerveja nos copos e disse às crianças: "Vamos fazer um brinde ao Papai Noel".

As crianças o acompanharam, beberam a cerveja e logo depois começaram a ter ânsia de vômito. Minha filha e meu genro correram para a cozinha e descobriram o que estava acontecendo. Quando perceberam o que meu marido havia feito, levaram as crianças para casa na mesma hora e nos disseram que nunca mais voltariam. Meu marido os xingou quando saíam de casa e disse que estavam sendo ignorantes. O que George fez foi errado, eu sei, mas o que eles estão fazendo também não está certo. Os avós também têm seus direitos. Eu disse a eles que cuidaria pessoalmente de tirar todo o álcool de dentro de casa e guardar na garagem. Também prometi que meu marido não beberia enquanto as crianças estivessem conosco. Para eles, porém, isso não é suficiente. Não sei o que mais devo fazer. É por isso que estou pensando em processá-los.

— Você até poderia fazer isso — comentei — mas e se ganhasse o processo e sua filha e seu genro fossem obrigados a permitir que você visse as crianças em visitas supervisionadas? Até que ponto isso seria satisfatório para você?

— Sei o que você está tentando dizer. Não é mesmo o que eu desejo. Só quero manter um bom relacionamento com minha filha, nosso genro e nossos netos. E não sei o que fazer.

— Qual é o nível de gravidade do problema de seu marido com a bebida? — eu quis saber.

— Há vinte anos ele entra e sai de programas de tratamento para combater o vício — ela respondeu. — Por algum tempo ele fica bem, mas basta uma pequena recaída para que volte a mergulhar na bebedeira por um mês. Ele encontra muita dificuldade para manter os empregos. Tem sido muito difícil viver com ele, mas eu o amo e continuo tendo a esperança de que as coisas vão melhorar. Sei que ele também se sente muito mal por não poder ver os netos. Já conversamos sobre isso.

Como conselheiro, senti-me profundamente mobilizado ao ver o sofrimento no semblante daquela mulher. Eu disse:

— Às vezes, quando um alcoólatra percebe que está perdendo alguma coisa que valoriza muito, ele se sente motivado a parar de beber. Você acha que George estaria disposto a conversar comigo a respeito desse assunto?

— Sim, estaria se achasse que poderia ajudar a resolver essa situação — ela respondeu.

— Se é assim, diga a ele que eu gostaria muito de vê-lo e que tenho algumas idéias. Podem ser úteis.

Durante as semanas que se seguiram, consegui inscrever o marido dela em um programa de tratamento de orientação cristã. Garanti a George que Deus o ajudaria a vencer o álcool e que, em minha opinião, ele estava dando um grande passo rumo à restauração do relacionamento com a filha, o genro e os netos. Depois do programa inicial do tratamento, durante o qual George se envolveu ativamente em um grupo cristão de apoio, comecei a conversar com ele sobre o poder do perdão e que ele deveria fazer isso com a filha e o genro, apesar de tudo o que acontecera no Natal anterior.

Disse-lhe que a iniciativa de perdoar só tem significado quando o arrependimento em relação a determinada atitude é sincero. "Um pedido de desculpas é o mesmo que aceitar a responsabilidade por aquele comportamento inadequado, reconhecendo que estava errado", comentei. "Não se pode exigir o perdão, apenas pedi-lo. Sua filha e seu genro podem não estar preparados para perdoá-lo agora, mas seu pedido de perdão será o primeiro passo na restauração desse relacionamento."

Juntos, fizemos um esboço por escrito de um pedido de desculpas que o deixasse à vontade. Perguntei se ele me daria permissão para telefonar para a filha e o genro, convidando-os para ir ao meu escritório, de maneira que pudéssemos conversar todos juntos sobre o que estava acontecendo. Ele concordou, e o casal também aceitou meu convite.

Nesse encontro, compartilhei com o jovem casal minhas conversas com George, nas quais tentei ajudá-lo a lidar com o problema do álcool. Contei a eles que sabia do esforço que aquele homem havia feito para deixar de beber durante muitos anos, mas que dessa vez ele realmente estava colocando sua confiança em Deus, por isso conseguiria. Em seguida, ofereci a George a oportunidade de falar.

Fiquei ouvindo enquanto ele não apenas lia o pedido de desculpas que havia escrito, como também, em lágrimas, derramava seu coração. Ele pediu perdão por todos os erros que cometera em relação à filha enquanto ela crescia, reconhecendo que a envergonhara por diversas vezes no tempo em que ela cursava o ensino médio; que havia falhado na missão de ser o pai que ela merecia; e que estava ciente de que seu comportamento no Natal anterior fora a coisa mais dolorosa que já fizera a ela. George contou à filha como já repassara aquela cena na mente muitas vezes e como se sentia mal por aquele episódio.

— Sei que não mereço o perdão — ele disse — mas é o que peço a você. Não estou pedindo que me permita ver as crianças, embora eu quisesse muito me desculpar com elas. Estou antevendo meu primeiro Natal sóbrio dos últimos vinte anos. Sei que vocês talvez nem estejam lá, apesar de eu desejar muito que estivessem. Gostaria de pedir uma chance de fazer um futuro diferente. E gostaria de ser o tipo de pai no qual você pode confiar. Eu a amo muito, e sinto demais por tudo o que fiz e lhe causou algum sofrimento.

A filha de George não demonstrou nenhum sinal de emoção. Presumi que ela já tinha ouvido outros pedidos de desculpas antes mas nunca vira uma mudança de comportamento. Meu palpite era que ela estava em dúvida sobre se o pai era sincero e que as coisas seriam mesmo diferentes dali para frente. Mais adiante, ela falou:

— Papai, eu desejo perdoá-lo. Mas é possível que isso leve algum tempo. Eu me sinto muito magoada. Quero acreditar que você está dizendo a verdade e espero que, nos próximos meses, seu comportamento demonstre isso. Espero que entenda: por mais que eu deseje perdoá-lo, vai levar algum tempo.

— Eu entendo — disse o pai. — Agradeço por você ter aceitado se encontrar conosco hoje, pois eu queria muito me desculpar.

A conversa chegou ao fim. Ofereci meus serviços ao jovem casal para o caso de eles desejarem falar comigo mais adiante. E disse a George que o veria na semana seguinte.

Nunca mais voltei a ver o jovem casal, mas George e a esposa me contaram que, no espaço de um mês, a filha deu ao pai a oportunidade de pedir desculpas às crianças, que, por sua vez, o perdoaram sem hesitar. Depois de ver a reação dos filhos, ela também perdoou George. Quando o Natal estava se aproximando, não deu nenhuma indicação de que levaria as crianças à casa dos avós. No entanto, uma semana antes do feriado, os filhos pediram para vê-los no Natal, e a mãe concordou. A princípio foi um pouco estranho, pois havia um ano que as crianças não iam à casa dos avós. Contudo, antes que a noite terminasse, a residência já estava tomada por risos de alegria.

Quando as crianças iam saindo, George disse:

> Só quero agradecer a todos por estarem aqui. Esse foi o melhor Natal de minha vida. Foi um ano difícil para todos nós, mas

também de grandes mudanças em minha vida. Quero ser o tipo de avô que seus filhos merecem e espero que você ore por mim todo dia, pois eu oro por você.

Quando George e a esposa me contaram essa história, eu já sabia que aquela noite havia marcado o início de um relacionamento de qualidade superior. E a época em que aconteceu me lembrou que a cura dos relacionamentos é o sentido do Natal. Compartilho essa história porque ela ilustra o seguinte: relações positivas com os parentes não são construídas a partir de exigências, mas de pedidos. Se os avós tentassem exigir seus "direitos" na justiça, forçando a filha e o genro a permitir que vissem os netos, é provável que o processo levasse a uma vida inteira de conflitos. No entanto, por estarem dispostos a demonstrar humildade, reconhecer a parcela de culpa que tinham no problema que afetava o relacionamento, seguir o caminho que conduz a uma mudança genuína, lidar honestamente com a questão e, em seguida, pedir perdão, eles encontraram a cura tão desejada. Os bons relacionamentos com parentes do cônjuge não podem ser fundamentados no princípio da exigência dos direitos. As Escrituras afirmam: "[O amor] não procura seus interesses..." (cf. 1Co 13:5).

Esse princípio é exemplificado na vida de Jesus. Certa ocasião, depois de ele ensinar algumas lições muito duras, diz a Bíblia que, "Daquela hora em diante, muitos dos seus discípulos voltaram atrás e deixaram de segui-lo. Jesus perguntou aos Doze: 'Vocês também não querem ir?' Simão Pedro lhe respondeu: 'Senhor, para quem iremos? Tu tens as palavras de vida eterna. Nós cremos e sabemos que és o Santo de Deus'" (Jo 6:66-69).

É evidente que Jesus não estava exigindo que os doze discípulos continuassem andando a seu lado. Ele os havia convidado a segui-lo desde o início. Agora oferecia a eles a liberdade de ir embora. Na verdade, sabemos que um dos doze, de fato, se foi. Mas, naquele momento, Pedro falava em nome dos outros ao dizer: "Tu tens as palavras de vida eterna". Eles seguiram Jesus porque estavam convencidos de que ele era "o Santo de Deus".

Relacionamentos com os parentes dos cônjuges devem seguir esse modelo. Não podemos obrigá-los a fazer o que acreditamos ser "a coisa certa". Podemos e devemos pedir a eles. Se queremos algo, isso deve ser verbalizado. Se você deseja que esses parentes o visitem com mais freqüência, convide-os. Se deseja que apareçam menos, peça que só o visitem em ocasiões nas quais você possa dedicar mais tempo a eles. Nunca devemos achar que eles são capazes de adivinhar o que se passa em nossa mente. Fazer esse tipo de pedido faz parte de qualquer bom relacionamento.

Jesus ensinou que esse princípio de "pedir" se aplica também em nosso relacionamento com Deus. Ele disse: "Peçam, e lhes será dado [...] Pois todo o que pede, recebe" (Mt 7:7-8). Em seguida, ele põe essa orientação em uma dimensão humana. "Qual de vocês, se seu filho pedir pão, lhe dará uma pedra? Ou se pedir peixe, lhe dará uma cobra? Se vocês, apesar de serem maus, sabem dar boas coisas aos seus filhos, quanto mais o Pai de vocês, que está nos céus, dará coisas boas aos que lhe pedirem!" (Mt 7:9-11).

Será que isso significa que Deus sempre nos dá exatamente o que pedimos? A resposta óbvia é "não". Ele nos ama demais para nos dar coisas que sabe serem prejudiciais a nosso bem-estar. No entanto, como nosso Pai celestial, ele nos concede, com liberalidade, dádivas como resposta a nossas petições.

Será que os parentes de seu cônjuge respondem aos seus pedidos exatamente do jeito que você deseja? Provavelmente não.

Do mesmo modo, a resposta deles nem sempre será baseada em amor. Todos nós temos tendência ao autocentrismo. Muitas vezes, respondemos aos pedidos dos outros de maneira bem egoísta. Contudo, pedir algo aos parentes é uma parte importante na construção de relacionamentos saudáveis.

Ben, que era pescador iniciante, pediu ao sogro que lhe emprestasse determinado apetrecho de pesca. O sogro respondeu: "Não posso emprestar esse, mas não me incomodo de emprestar outro". Ben não sabia a diferença entre os equipamentos mas o sogro sabia e não queria correr o risco de perder uma peça muito cara emprestando-a ao genro, que não tinha tanta experiência em pescarias.

Se Ben tivesse ficado com raiva do sogro por não ter emprestado exatamente o que ele pedira, o relacionamento dos dois teria sido prejudicado. Em vez disso, aceitou com alegria a proposta do sogro e sua pescaria foi muito boa. As pessoas são responsáveis pelas coisas que possuem. Elas têm a prerrogativa de emprestar ou não, dar ou reter. O parente sábio não fica aborrecido quando um pedido em particular é negado, mas sabe agradecer quando a petição é atendida ou recebe uma proposta alternativa.

Com freqüência, o relacionamento entre os cônjuges e os parentes é fortalecido quando alguém pede algo. Brittany pediu à sogra, Margie, que a ensinasse a tricotar. A resposta de Margie foi esta: "Não consigo imaginar como uma garota de sua geração poderia querer aprender a tricotar. Mas, se você quer mesmo, terei o maior prazer em ensinar".

Brittany garantiu à sogra que estava sendo sincera. Nos meses seguintes, ela não apenas aprendeu a tricotar, como também desenvolveu um relacionamento muito mais sólido com a sogra à medida que uma habilidade foi transmitida de uma geração a outra. Quando paravam para tomar chá, Brittany aprendia muitas coisas sobre a sogra, incluindo o fato de que Margie aprendera a tricotar com sua sogra também. Sem saber, Brittany estava dando continuidade a uma tradição familiar.

Na época, Margie, que era uma pessoa gregária e sempre simpática, comentou com a nora algumas das lutas que enfrentara ao longo dos anos por causa de sua saúde. Mais adiante, quando foi diagnosticado um câncer no seio de Margie, Brittany foi a primeira pessoa a saber. E foi ela também que ofereceu o maior apoio emocional à sogra durante os muitos anos de quimioterapia e recuperação. E tudo aquilo começou com um pedido: "Você poderia me ensinar a tricotar?".

As Escrituras dizem: "Há maior felicidade em dar do que em receber" (At 20:35). Quando você faz um pedido aos parentes de seu cônjuge, está oferecendo a eles uma oportunidade. Ao atender a seu pedido, eles encontram uma felicidade ainda maior do que a sua em receber o que pediu.

Pedir e oferecer são elementos que compõem o ciclo natural dos bons relacionamentos. De vez em quando, todos nós desejamos certas coisas que o outro tem a capacidade de suprir ou precisamos delas. Se verbalizarmos esses desejos na forma de pedidos e a outra pessoa optar por responder de maneira positiva, estaremos forjando um relacionamento que se manterá sólido e forte anos a fio.

No sentido oposto, quando fazemos exigências sobre os parentes, tentando determinar o que devem fazer e impondo-lhes culpa quando não cumprem nossas demandas, destruímos essa relação. Os bons relacionamentos são alimentados com a prática de pedir e oferecer, e não com a de exigir.

Colocando os princípios em prática

1. Que exigências os parentes de seu cônjuge impuseram a você? Qual foi sua reação?
2. Que exigências você fez a esses parentes? Como eles reagiram?
3. Que pedido você gostaria de fazer a eles? Pense na possibilidade de fazer esse pedido depois de demonstrar apreço por alguma coisa que você admira neles.
4. Que pedidos os parentes de seu cônjuge lhe fazem?

Considere a alternativa de responder com amor a um pedido deles.

6

Conceda o dom da liberdade

A MAIOR DÁDIVA QUE OS PAIS podem oferecer aos filhos casados é o dom da liberdade. Na apresentação deste livro, falamos sobre o desafio bíblico para jovens casais que deixam os pais a fim de estabelecer nova unidade familiar. Os pais podem facilitar ou dificultar esse processo. Eles podem conceder ao jovem casal a liberdade de partir ou continuar a interferir na vida dele, tornando a independência algo muito difícil.

Dois tipos de pessoa terão dificuldade em conceder esse dom da liberdade. Primeiro, as pessoas cuja personalidade é controladora. São aquelas que pensam com clareza, chegam a conclusões com rapidez e presumem que suas idéias são sempre as mais corretas. Em geral, são bem-intencionadas, mas também dominadoras, impondo sua vontade sobre todos que permitem. Elas não se vêem dessa maneira. Costumam achar que estão zelando pelos interesses dos outros e são sinceras nisso. Esse tipo de personalidade terá muita dificuldade para liberar os filhos depois do casamento. A tendência é que continuem impondo suas idéias sobre os filhos casados, genros e noras.

Há um segundo tipo de pessoa que enfrenta problemas iguais. São aquelas que medem seu valor em função do sucesso dos filhos. Elas fizeram tudo que estava a seu alcance para ajudar os filhos a alcançar o sucesso. Pagaram as melhores escolas, supriram todas as necessidades financeiras e sempre tiveram um elogio na ponta da língua. A cada realização vocacional do filho, a mãe e o pai se sentiam melhor a respeito de si mesmos. Por isso, é pouco provável que esse padrão mude depois que o filho se casar. Eles continuarão por perto, fazendo tudo o que lhes for possível para que o jovem casal seja bem-sucedido. O problema é que a "ajuda" que se propõem a dar geralmente surge como um tipo de intromissão e torna ainda mais difícil para o casal estabelecer uma identidade própria. Os esforços dos parentes em ajudar costumam gerar brigas no casamento e, por essa razão, são prejudiciais à unidade conjugal.

Kelly e Andy estiveram em meu consultório para falar a respeito de sua frustração com a mãe dela. Andy contou:

— Ela redecorou nosso apartamento inteiro. Escolheu as cores, os tecidos, fez tudo. Sinto-me como se estivesse morando na casa de outra pessoa. É bonito, mas não tem a nossa cara. Eu preferiria que as janelas continuassem sem cortinas até que pudéssemos comprar de acordo com o nosso gosto. Ela acha que precisamos de tudo imediatamente. Não gosto do jeito como ela controla nossa vida.

Olhei para Kelly e perguntei:

— O que você acha disso tudo?

— Acho que é o jeito que a minha mãe tem de mostrar como nos ama. Não acredito que ela deseje criar um problema para nós. Gosto da maneira como ela decorou nosso apartamento. Eu gostaria de simplesmente aceitar tudo como um presente dela, mas Andy não vê a situação da mesma maneira. É por isso que estamos aqui. Sentimos que isso está nos separando. Se minha mãe soubesse que estamos discutindo sobre o que fez por nós, ficaria arrasada.

Conto essa história porque ela ilustra vários princípios relacionados aos temperamentos controladores. Em primeiro lugar, as pessoas controladoras raramente se vêem como tal. Elas acham apenas que estão fazendo o que é bom ou o que está certo. Têm grande dificuldade para entender por que os outros as vêem como controladoras.

Segundo, as pessoas controladoras costumam se casar com quem tem temperamento complacente. Se elas se casassem com alguém igualmente controlador, a vida se transformaria em um enorme campo de batalha. A pessoa complacente está disposta a aceitar a maioria das coisas que a controladora faz, embora vez por outra isso se torne um fator de conflito no casamento.

Meu palpite é que o próprio Andy tem temperamento controlador. Ele queria determinar a maneira como o apartamento do casal deveria ser decorado e pagar por isso. Ele via isso como parte de sua responsabilidade, por isso desejava ter liberdade para fazer à sua maneira. Andy considerava a iniciativa da sogra uma intromissão em seu casamento.

Kelly, por sua vez, tinha personalidade complacente. Ao longo dos anos, aprendeu a aceitar as ações controladoras da mãe como presentes de amor — o que, de fato, eram. Ela não tinha necessidade de fazer parte do processo de tomada de decisão; era perfeitamente feliz permitindo que a mãe tomasse as decisões em seu lugar. Na verdade, isso tornava a vida dela bem mais fácil. Funcionou bem enquanto viveu sob o controle de apenas uma pessoa, ou seja, a mãe. No entanto, agora ela está casada com outra pessoa de temperamento controlador. A vida se torna muito difícil quando duas pessoas tentam dizer a você o que deve fazer.

Às sogras e aos sogros que estão lendo este livro, eu os incentivo a aprender a arte de se conter. Seus filhos casados merecem a liberdade de tomar as próprias decisões. Sei que seus esforços no sentido de ajudá-los são empreendidos por boa-fé. Vocês estão sendo sinceros ao expressar amor e tentar ajudar o casal a viver melhor.

Contudo, sua boa intenção pode estar tornando a vida de seus filhos mais difícil. Talvez eles estejam dispostos a receber a sua ajuda, como vinham fazendo até então. As pessoas com quem eles se casaram, porém, podem não pensar da mesma maneira — não porque sejam contrárias, mas simplesmente porque são seres humanos e têm temperamento próprio. É raro ver duas pessoas com o mesmo temperamento casadas. É improvável que um filho complacente se una a um cônjuge também complacente.

Assim, o que os parentes do cônjuge devem fazer quando querem, de fato, ajudar os filhos casados? Fale a respeito de sua idéia e pergunte se eles a consideram útil. (Faça um pedido, não uma exigência.) Garanta-lhes que, se não acharem a sugestão útil, estão desobrigados de aceitá-la e que você entenderá. Depois, permita que eles tenham tempo para discutir a questão e voltar com uma resposta. Se aceitarem sua oferta, siga em frente. Caso contrário, você deve deixar essa idéia de lado para que eles possam exercer sua liberdade.

O dom da liberdade é muito mais valioso que a decoração de um apartamento. Se você não permitir ao casal que se valha dessa liberdade para tomar as próprias decisões, insistindo em fazer as coisas por ele por achar que está sendo útil, estará dando início a um processo que resultará em ressentimento no coração de seu genro ou sua nora. Além disso, estimulará brigas desnecessárias entre os cônjuges.

Aqui estão algumas idéias adicionais para sogras e sogros que desejam, de coração, ajudar os filhos casados.

Não torne o casal dependente de você

O casamento tem tudo a ver com independência, e não com dependência. Durante mais ou menos os primeiros vinte anos de vida, seus filhos foram dependentes de você. Durante o período do ensino médio e, talvez, da faculdade, você lhes tornou possível alcançar os objetivos acadêmicos que tinham. Com o casamento, porém, o paradigma mudou. Não se trata mais de uma pessoa dependente. O casal deve estabelecer seu lugar no mundo, aprender a trabalhar junto como equipe para suprir as próprias necessidades. Você precisa encorajá-los a buscar essa independência, e não privá-los dela.

Permita-me dar um exemplo negativo e outro positivo. Bill e Alice formavam um casal de classe média bem-sucedido. Eles fizeram o necessário para garantir que o filho, Ken, cursasse uma faculdade. Quando o rapaz se casou, logo depois de se formar, eles perceberam que o primeiro emprego de Ken não lhe permitiria comprar uma casa tão cedo. Eles eram absolutamente contrários ao conceito de aluguel, que consideravam uma forma de jogar dinheiro fora. Por essa razão, ofereceram-se para dar a entrada em uma casa e entregar a Ken e à esposa 500 dólares por mês para pagar parte da prestação. Bill e Alice tinham plenas condições de fazer isso, e Ken e April aceitaram a proposta de bom grado. Estavam entusiasmados por morar em uma casa própria enquanto a maioria dos amigos vivia em apartamentos.

No entanto, cinco anos depois, Bill morreu vítima de um ataque cardíaco fulminante. Isso abalou o mundo de ambas as famílias. Depois de cumpridas as burocracias, Alice viu que tinha renda suficiente para suprir as próprias necessidades, mas não o suficiente para continuar repassando 500 dólares por mês a Ken e April.

Dois meses depois, Ken e April enfrentavam uma crise financeira. O salário dele não dava conta das despesas mensais. Naquela época, eles já tinham dois filhos pequenos. April não queria trabalhar fora, e Ken concordava com isso. Contudo, eles se viram diante de duas alternativas: ou se mudavam para um imóvel menor ou April teria de, no mínimo, trabalhar em meio expediente. De fato, ela conseguiu um emprego, mas ficou muito ressentida com Ken pelo fato de ter de deixar as crianças com uma babá.

Quando se olha para trás, qualquer um é capaz de perceber que Bill e Alice — por mais sincera que fosse a iniciativa — criaram um grande problema para Ken e sua família. Ken e April me disseram: "Gostaríamos de ter começado com um apartamento, tal como nossos amigos, e viver com menos. Acho que ambos seríamos mais felizes e dificilmente estaríamos passando por esse estresse atual".

Há os casos positivos. Sam e Audrey são exemplos de pais que descobriram uma maneira de dar sem fazer dos filhos dependentes do que recebem. A filha Julie se casou com Mike no fim de seu primeiro ano de faculdade. Mike estava terminando sua graduação. Sam e Audrey concordaram em patrocinar o último ano da faculdade de Julie, e os pais de Mike fizeram o mesmo. Depois de se formar, Mike deu início a um negócio próprio, e Julie começou a trabalhar em um banco.

Mike sabia que não ganharia muito dinheiro nos primeiros anos de seu empreendimento, mas ambos estavam dispostos a fazer esse sacrifício até o negócio decolar. Eles moravam em um apartamento bem pequeno de uma vizinhança nada recomendável. Usavam carros antigos que ganharam dos pais quando entraram na faculdade. Compravam móveis usados e viviam de maneira muito modesta.

Toda vez que Sam e Audrey iam visitar Mike e Julie, voltavam para casa falando sobre o desejo que tinham de tirar o casal daquele apartamento para colocá-los em um lugar dentro de uma vizinhança respeitável. Eles sabiam que tinham os recursos financeiros para tal. Certa ocasião, tocaram no assunto com Mike e Julie e descobriram que ambos resistiam à idéia de recorrer a essa ajuda. Julie dizia:

> Mãe, também queremos ter uma história para contar, como a sua com o papai. Lembra do primeiro lugar em que você morou depois que se casou? Sempre admirei você e sua disposição de se sacrificar enquanto papai estava no Exército e mais tarde, quando ele voltou para casa para começar um negócio próprio. Sabemos que vocês nos amam e desejam nos ajudar, mas preferimos fazer isso por nossa conta.

Audrey e Sam entenderam Julie e expressaram sua admiração e seu apreço pelo espírito que ela demonstrava. Nunca mais voltaram a falar no assunto. Eles concederam à filha o dom da liberdade e não se arrependeram da escolha que fizeram. Hoje em dia, o negócio de Mike está em pleno crescimento. Ele e Julie têm uma bela casa e uma história para contar aos filhos.

Por favor, não pense que estou dizendo que você nunca deve dar presentes a seus filhos casados ou que não pode ajudá-los financeiramente. Estou dizendo o seguinte: não dê o presente de modo que isso torne seu filho adulto dependente de você para poder manter o padrão de vida que leva. Se a geladeira dele quebra e você deseja comprar uma nova, pergunte ao casal o que acha da idéia e se apreciaria esse gesto. Caso eles concordem, então compre a geladeira. Será um presente capaz de satisfazer a uma necessidade inesperada e ainda seria encarado como um ato de amor. Seus filhos aceitarão com gratidão. Em contrapartida, eu não encorajaria você a concordar em fazer os pagamentos mensais do financiamento para eles trocarem de carro. Esses financiamentos normalmente duram, pelo menos, três anos, durante os quais o casal seria financeiramente dependente de seu auxílio mensal. Isso não ajuda a estabelecer um padrão de independência.

Não dê presentes indesejados

Alan e Betsy eram aficionados de barcos. Logo no início do casamento, compraram a primeira embarcação. Conforme os filhos cresciam, eles iam para o lago quase todo sábado. Quando a filha deles, Angie, casou-se com Rod, esperavam que o novo casal compartilhasse o mesmo gosto pelo programa tradicional dos sábados no lago, uma rotina que eles mantinham desde que namoravam. No entanto, depois do casamento, Rod conseguiu um emprego que exigia trabalhar também aos sábados. Angie se envolveu em um ministério de sua igreja em uma cidade do interior. Assim, o padrão de se reunir no lago todo fim de semana foi quebrado. Os pais de Angie sentiam muita falta daquele "momento em família" e oravam para que, um dia, Rod mudasse de emprego.

Após mais ou menos um ano, Rod mudou mesmo de emprego e não precisaria mais trabalhar aos sábados. Uma semana depois, Alan e Betsy compraram um barco para Rod e Angie, convidaram a filha e o genro para um passeio no lago e mostraram o presente como uma surpresa. Rod e Angie fingiram entusiasmo, mas, quando voltaram para casa, ambos concordaram em que a última coisa que eles queriam na vida era um barco. Rod não gostava de nada relacionado a navegação, e Angie desenvolvera um interesse sincero pelo ministério em que se envolvera aos sábados. Nenhum dos dois queria passar os sábados no lago; eles preferiam de fato aproveitar o dia para as atividades da igreja.

Ao ver que o barco de Rod e Angie ficava ancorado semana após semana, Alan e Betsy perceberam que haviam cometido um erro. Eles pensavam que o barco seria uma maneira de atrair a filha e o genro para o lago e que isso lhes permitiria recuperar os encontros familiares que realizavam antes. Mas não era o que estava acontecendo.

Agora eles se viam diante de uma escolha muito comum aos pais: por um lado, podiam ficar ressentidos com Rod e Angie por não demonstrar gratidão pelo presente nem passar os sábados com eles no lago; por outro lado, poderiam admitir que comprar o barco sem antes consultar Rod e Angie sobre a aquisição tinha sido um erro e, talvez, até mesmo um esforço para manipulá-los no sentido de atraí-los para o programa de que tanto gostavam. Optaram por aceitar a responsabilidade pela decisão bem-intencionada porém nada sábia de comprar o barco. A não ser pela questão do barco, Alan e Betsy tinham um bom relacionamento com a filha e o genro. Eles costumavam jantar juntos, e a relação entre os casais sempre foi cordial e saudável.

Alan e Betsy queriam manter esse bom relacionamento, por isso discutiram uma estratégia para lidar com a questão do barco. Eles concordaram em que, se Rod e Angie estivessem dispostos, venderiam a embarcação e entregariam o dinheiro para Angie usar no ministério em que estava envolvida. Quando compartilharam a idéia com o genro e a filha, o jovem casal ficou radiante. Angie disse:

> Papai, eu não queria dizer a vocês que não estávamos interessados no barco. Eu tinha certeza de que isso os magoaria porque sabia o motivo pelo qual haviam comprado: foi porque vocês nos amam. Mas, para ser sincera, nem eu nem Rod gostamos de navegar. Eu gostava quando era criança, mas estou em um estágio diferente

> da vida agora. Adoro o que faço aos sábados com as crianças. Mal consigo exprimir o orgulho que sinto por vocês se interessarem por esse ministério em que estou trabalhando. Há muita coisa por fazer, e agora, com esse dinheiro, poderemos investir nessa obra. Amo muito vocês dois e agradeço pela compreensão.

Rod endossou as palavras de Angie, e a questão do barco foi resolvida. Quando se trata do conceito de presente apropriado, nem sempre nossas idéias combinarão com as dos filhos adultos. Portanto, não desperdice dinheiro em presentes dos quais eles não vão gostar. Pergunte antes de comprar.

Reafirme os interesses de seus filhos casados

Durante a vida, todos nós desenvolvemos interesse em várias coisas. Isso pode englobar as áreas educacional, vocacional, recreativa, religiosa e social. Todos investimos nosso tempo e nossa energia em uma ou outra coisa. Enquanto os filhos são pequenos, nós os ajudamos a descobrir e desenvolver esses interesses. Se eles querem tocar piano, fazem aulas de piano. Se querem jogar futebol, nós os incentivamos. Por que isso não pode continuar depois que eles se tornam adultos?

Se sua nora gosta de esquiar na neve, então pare um pouco e veja como ela fica feliz mesmo quando leva um tombo. Se você está procurando um presente para dar a ela, deve perguntar-lhe se está precisando de algum equipamento relacionado a esse esporte. Sugiro que a leve junto para escolher. Assim, ela vai ganhar exatamente o que deseja e será grata por isso.

Se seu cunhado tem interesse em corridas de automóveis, eu o aconselharia a evitar comentários jocosos sobre a estupidez de perder várias horas vendo carros correndo em círculos. Essa pode até ser a sua opinião sincera, mas não alimentará a saúde do relacionamento com seu parente se ficar fazendo comentários negativos sobre o interesse particular dele.

Se o parente gosta de futebol, eu incentivaria você a aprender o suficiente sobre o esporte para poder manter uma conversa inteligente com ele sobre essa área de interesse. Pode ser até que você nem goste de futebol, mas espero que tenha vontade de desenvolver um relacionamento saudável com seu cunhado. Os relacionamentos são fortalecidos à medida que reafirmamos os interesses dos outros.

Lembro-me de um pai que comentou comigo:

> Minha filha se casou com um sujeito do Tennessee. Ele era caçador. Para ser sincero, nunca cacei em minha vida e jamais tive o menor interesse nisso. No entanto, quando ele me convidou para participar de uma caçada de veados e me prometeu que tomaria as providências para que eu não morresse de medo, aceitei o convite. Foi uma das experiências mais relaxantes que já tive. Sentar no meio do mato ouvindo os ruídos da natureza me proporcionou uma calma que eu não sentia havia muitos anos. Agora eu o acompanho a cada temporada de caça. Continuo não tendo o menor interesse em matar um veado, mas aproveito ao máximo minha experiência com a natureza. Eu e meu genro estabelecemos um ótimo relacionamento. Talvez um dia — quem sabe? — um de nós até encontre um animal para caçar!

Ao descobrir os interesses das outras pessoas, expandimos nosso universo e, ao mesmo tempo, desenvolvemos amizades que podem durar a vida inteira. Quando você demonstra interesse naquilo que interessa aos outros, está dando a eles a liberdade de ser aquilo que são. Além disso, está fazendo a opção de entrar no universo dessas pessoas. Esse é o processo de construção de amizades.

Se eu tivesse de escolher uma palavra para descrever o fundamento sobre o qual uma nação deve ser estabelecida, eu usaria o termo "liberdade". E, se tivesse de fazer o mesmo para identificar o segredo para o desenvolvimento de relações saudáveis entre os cônjuges e seus parentes, eu escolheria essa palavra também. Conceder o dom da liberdade aos jovens casais é a escolha mais importante que você pode fazer no sentido de se tornar uma boa sogra ou um bom sogro.

Colocando os princípios em prática

Orientações aos pais

1. Não permitam que seus filhos casados se tornem financeiramente dependentes de vocês.
2. Não dêem presentes que eles não desejam. Perguntem: "Isso seria útil a vocês?"
3. Reafirmem os interesses deles fazendo perguntas e oferecendo palavras de incentivo.

Orientações para recém-casados

1. Se acha que seus pais estão tentando controlar suas decisões, agradeça por seu interesse, mas peça que eles lhe concedam a liberdade de tomar suas próprias decisões.
2. Não aceite nenhuma ajuda que o torne financeiramente dependente de seus pais.
3. Não ache que seus pais estão o tempo todo à sua disposição para trabalhar como babás. Pergunte antes se eles têm tempo para tomar conta de seus filhos.

7

Acima de tudo, ame

A CHAVE DEFINITIVA QUE ABRE AS PORTAS para o estabelecimento de uma relação de amizade com os parentes de seu cônjuge é assumir uma atitude amorosa. Por natureza, somos todos egocêntricos. Achamos que o mundo gira a nosso redor. O lado bom dessa postura é que cuidamos de nossas necessidades — nós nos protegemos e alimentamos. No entanto, tendo nossas necessidades básicas supridas, devemos aprender a ajudar os outros. Trata-se de uma atitude de amor.

As pessoas mais felizes do mundo são as doadoras e altruístas, e não as egoístas. Jesus afirmou: "Há maior felicidade em dar do que em receber" (At 20:35). Se você aplicar essa realidade no relacionamento com os parentes de seu cônjuge, fará o possível para potencializar a vida deles. "De que maneira posso ajudar você?" é sempre uma pergunta apropriada. A resposta ensinará como demonstrar amor de maneira significativa a esses parentes.

Certa vez, uma senhora fez essa pergunta à nora e recebeu a seguinte resposta: "Se você puder me ensinar o seu jeito de cozinhar ervilhas, vai ser muito bom para o meu casamento". Ela ensinou e deu certo! Foi a pergunta: "De que maneira posso ajudar você?" que estimulou a lembrança da nora a respeito dos comentários do marido sobre como ele gostava de comer ervilhas preparadas por sua mãe. Como a sogra estava oferecendo ajuda, ela teve a oportunidade de fazer o pedido sem nenhum constrangimento.

Se você deseja auxiliar os parentes de seu cônjuge, é sempre melhor descobrir o que eles consideram útil — que será encarado como uma demonstração de amor —, em vez de usar seus próprios critérios, o que pode ser interpretado como uma imposição.

Imagine o que aconteceria em seu relacionamento com a família de seu cônjuge se você começasse a perguntar: "De que maneira posso ajudar você?". Pode ser que outros membros da família sigam o seu exemplo. Quando as famílias aprendem a se amar e a expressar esse amor de maneiras significativas, o clima emocional é potencializado.

Certa vez, uma jovem senhora fez a seguinte pergunta: "Mas e se os parentes de meu marido me tratarem mal? Como poderei amá-los dessa maneira?". É interessante observar que Jesus nos instruiu a amar até mesmo nossos inimigos (cf. Mt 5:43-44). Infelizmente, às vezes os parentes do cônjuge revelam possuir os requisitos fundamentais para ser considerados inimigos. Quando estamos magoados, decepcionados ou ressentidos, é difícil expressar amor. Mas difícil não é impossível. Com a ajuda de Deus, podemos amar até os nossos inimigos.

O processo envolve a admissão de seus sentimentos, e não a submissão a eles. Você os admite para si, diante de Deus e, talvez, diante de seu cônjuge. No entanto, não pode se render aos sentimentos negativos. Diante de Deus, você diz:

> Pai, o senhor sabe como me sinto em relação a esses parentes. Sabe o que eles fizeram e sabe como estou magoado. Mas eu sei

> que o senhor deseja que eu os ame. Por isso, estou pedindo que o senhor derrame o seu amor sobre o meu coração. Permita que eu seja um veículo desse amor.

Deus dará a você a capacidade de fazer essa pergunta: "De que maneira posso ajudar você?". Aí, então, a partir da resposta que eles derem, você poderá expressar o amor de maneira significativa.

Lembre-se: o amor não é um sentimento. Trata-se de uma atitude, um comportamento, uma forma de pensar. O amor é a atitude que declara: "Escolho cuidar de seus interesses. De que maneira posso ajudar você?". Uma atitude de amor conduz a um comportamento igualmente amoroso.

A realidade é que o amor tende a estimular o amor. Na verdade, as Escrituras dizem que amamos Deus porque ele nos amou primeiro (cf. 1Jo 4:19). É o amor de Deus que estimula o amor dentro de nós. O mesmo princípio vale no que se refere a relacionamentos humanos. Quando consigo expressar amor pelos parentes de meu cônjuge, alguma coisa acontece dentro deles, que se revelam mais propensos a retribuir esse amor. E, quando essas pessoas demonstram interesse em meu bem-estar, meus sentimentos em relação a elas começam a mudar.

Kevin é um bom exemplo desse princípio. Ele compartilhou sua história comigo ao participar de um de meus seminários sobre casamento. Ao que parece, o sogro não ficou muito feliz quando a filha se casou com Kevin. Ele era encanador. O sogro, que era advogado, esperava que a filha se unisse a alguém da mesma profissão dele, com um médico ou algo assim. Durante a festa de casamento, o sogro fez o possível para manter a cordialidade, mas Kevin sabia, do fundo do coração, que ele não estava feliz.

Certa manhã, cerca de seis meses após o casamento, o sogro de Kevin acordou e encontrou o jardim da frente da casa inundado. Um cano havia estourado. A esposa o incentivou a ligar para o genro, e foi o que ele fez. Kevin conta:

> Quando cheguei lá, o jardim parecia um pântano. Havia água em todo canto. Eu sabia que um cano grande havia se rompido em algum lugar da linha que saía da rua e chegava até a casa. Desliguei o fornecimento externo de água e telefonei para minha esposa, Janet.
>
> Eu havia prometido que a acompanharia nas compras naquela manhã, por isso avisei sobre a gravidade da situação. Ela me disse para priorizar o conserto do encanamento da casa de seus pais e nos chamou para tomar o café-da-manhã em nossa casa. "Boa idéia", eu disse. "Isso vai me ajudar a ganhar um tempo enquanto boa parte dessa água escoa."
>
> Depois do café-da-manhã, voltei para a casa de meus sogros e passei as quatro horas seguintes localizando e consertando o rombo no encanamento. Quando meu sogro insistiu em me pagar pelo trabalho, eu recusei, dizendo a ele: "Família é para essas coisas". Ele ficou muito grato.

Àquela altura, Janet interferiu na conversa e comentou:

> Desde aquele dia, meu pai nunca mais reclamou de Kevin. Na verdade, ele recomenda os serviços do genro a todos os amigos. "Ele é o melhor encanador da cidade", diz. "Com Kevin, não tem erro." Acho que meu pai finalmente se conscientizou de que, no mundo moderno, encanadores são tão importantes quanto advogados ou médicos. Na verdade, às vezes não dá para viver sem eles. Do modo como vejo, o caráter é sempre mais importante do que a vocação. Acho que meu pai concordaria.

O ato de amor de Kevin, que usou as habilidades que possuía para ajudar os sogros, estimulou uma reação emocional positiva por parte do pai de Janet. Desde então, o relacionamento dos dois continuou a se desenvolver. O amor genuíno raramente é rejeitado, mas é preciso que alguém tome a iniciativa de amar.

Ao falar sobre como colocar o amor em prática, duas palavras me vêm à mente: "bondade" e "paciência". No grande "capítulo do amor" do Novo Testamento, lemos que o amor é bondoso e paciente (cf. 1Co 13:4).

O amor é bondoso (gentil)

Permita-me refletir primeiramente sobre a gentileza, que tem a ver com nosso modo de falar com as pessoas e o jeito como as tratamos. Um dos antigos provérbios hebraicos afirma: "A resposta calma desvia a fúria, mas a palavra ríspida desperta a ira" (Pv 15:1).

O relacionamento dos cônjuges com seus parentes pode ser melhorado ou piorado dependendo de como um fala com o outro. Usar palavras ofensivas ou um tom de voz alto torna as coisas mais complicadas, ao passo que o uso de termos carinhosos e gentis facilita tudo. Quando expressa sua raiva gritando com um desses parentes, você não está demonstrando amor. O amor é gentil, bondoso. Quando você ouve com atenção e, em seguida, compartilha suas opiniões de maneira calma e educada, está expressando amor, embora não seja obrigado a concordar com o que a outra pessoa disse. Ao falar com educação e gentileza, você está demonstrando respeito.

Se até agora você não demorava a perder a paciência com os parentes de seu cônjuge e descarregava sua raiva falando alto e usando palavras duras, devo adverti-lo sobre a importância de pedir desculpas. Você criou barreiras emocionais que não serão removidas simplesmente com a passagem do tempo. Pedir desculpas é o primeiro passo no processo de mudança de discurso, trocando a rudeza pela gentileza. Nas próximas conversas que tiver com essas pessoas, comece a prestar atenção e mude seu jeito de falar.

Quando sentir que está começando a ficar nervoso, peça um tempo para esfriar a cabeça. Então, num esforço consciente, fale com calma com a pessoa que o deixou nervoso, talvez quase murmurando. Nos primeiros estágios dessa mudança de discurso, devemos exagerar na mudança. Ao aprender a falar de maneira mais suave, terá dado o primeiro passo no sentido de expressar-se com gentileza.

Tendo chegado a esse ponto, você se sentirá à vontade para se concentrar na reafirmação das intenções desses parentes, mesmo que discorde das idéias deles. "Posso ver por que você se sente assim e, se eu estivesse em seu lugar, minha reação provavelmente seria idêntica. No entanto, eu gostaria de falar sobre algumas coisas em que pensei e ver se fazem sentido para você." Com declarações dessa natureza, você está aplicando os princípios que abordamos neste livro para aprofundar o relacionamento com os parentes de seu cônjuge. Está, na verdade, aprendendo a expressar amor a partir de palavras gentis.

A bondade também pode se manifestar no modo como tratamos as pessoas. Kevin fez uma gentileza ao consertar o furo no encanamento que inundou o quintal do sogro sem cobrar nada. Iniciativas fortuitas de gentileza potencializam esses relacionamentos. No entanto, a bondade vai além desses atos de gentileza. Também procura tratar os parentes com cortesia.

As famílias diferem no que diz respeito àquilo que pode ser considerado cortesia. Algumas acham que é descortês usar um boné dentro de casa. Outras acreditam que seja educado levantar-se quando uma mulher entra em determinado ambiente. Há quem acredite que o homem sempre deve abrir as portas para as mulheres. E também existem as boas maneiras à mesa. Para algumas famílias, é deselegante conversar com a boca cheia. Essa mesma cortesia exige que o marido acomode a esposa antes de ele mesmo se sentar. Pode ser cortês colocar o guardanapo sobre o colo e dizer: "Por favor, poderia passar as batatas?". Toda família tem um sistema próprio de "cortesias cotidianas". Ficar atento a essas cortesias cotidianas e colocá-las em prática quando a pessoa está na companhia dos parentes do cônjuge é uma maneira de potencializar os relacionamentos.

Seu cônjuge é a melhor fonte de descoberta e compreensão quando se trata das cortesias cotidianas da família dele. Dedique algum tempo a descobrir o que esses parentes consideram um comportamento educado. Coloque tudo no papel como forma de se lembrar e procure pôr em prática essas cortesias. Assim, estará dando passos importantes e positivos para estabelecer amizade com os familiares de seu cônjuge.

O amor é paciente

A segunda chave no sentido de amar os parentes do cônjuge é agir com paciência. Você já deve ter ouvido este clichê: "Roma não foi feita em um dia". Isso também vale para os relacionamentos. A paciência tem de se tornar um estilo de vida. Não podemos esperar que todas as nossas diferenças sejam resolvidas da noite para o dia ou com um simples bate-papo. É preciso tempo e perseverança para entender o ponto de vista dos outros e negociar alternativas para as diferenças. Trata-se não só de um processo contínuo, mas é também a essência, o ponto crucial de nossos relacionamentos. Não podemos desenvolver relacionamentos positivos se negligenciarmos o processo de comunicação de idéias e sentimentos, buscando o entendimento, a reafirmação uns dos outros e soluções plausíveis.

Não espere perfeição de ninguém — nem de você. Em contrapartida, não se acomode com nada aquém de um relacionamento baseado em amor. Podemos até entender recaídas momentâneas. Nenhum de nós muda de repente, e é comum repetir antigos padrões de comportamento. As falhas pressupõem pedidos de desculpas, e pedidos de desculpas pressupõem perdão. Quando estamos dispostos a admitir nossas falhas e pedir desculpas, é provável que recebamos o perdão, e assim nossos relacionamentos podem seguir adiante de maneira positiva. O amor é a maior força do mundo para o bem. A bondade e a paciência são dois dos mais importantes aspectos do amor. Aprenda a desenvolver esses traços e saberá como construir a amizade com os parentes de seu cônjuge.

Colocando os princípios em prática

1. Procure uma oportunidade de perguntar a um dos parentes de seu cônjuge: "De que maneira posso ajudar você?".
2. Você consegue se lembrar de um tempo no qual você falava de forma grosseira com um desses parentes? Já pediu desculpas por isso? Se ainda não o fez, qual é o motivo?
3. Que atos de bondade você colocou em prática em relação a esses parentes ultimamente? O que poderia fazer nos próximos dias?
4. Que tipo de "cortesias cotidianas" você precisa oferecer para potencializar o relacionamento com sogros, genros ou cunhados?

Conclusão

RELACIONAMENTOS SAUDÁVEIS com os parentes do cônjuge constituem um dos mais importantes recursos dos quais podemos dispor na vida. Viver em harmonia, encorajando e apoiando uns aos outros em nossas batalhas diárias, pode nos ajudar a alcançar nosso melhor potencial em relação a Deus e pelo bem do mundo. Em contrapartida, relacionamentos complicados com esses parentes podem se tornar uma fonte de profunda dor emocional. Quando existem ressentimentos, mágoas ou reservas entre eles, significa que há mais uma família problemática no mundo.

Os sete princípios que compartilhei com você neste livro ajudaram centenas de casais a desenvolver relacionamentos positivos tanto com os parentes dele quanto com os dela. Espero que você não se conforme apenas em ler este livro. Meu mais profundo desejo é que busque com sinceridade aplicar esses princípios na trama de sua vida diária. Isso exigirá investimento de tempo e esforço, mas as recompensas serão duradouras.

Potencializar os relacionamentos é, de fato, um empreendimento que vale a pena. Quando você faz isso na relação com os parentes de seu cônjuge, torna a vida mais prazerosa para seus filhos e netos. Meu desejo sincero é que este livro ajude você a aprender como ouvir, demonstrar respeito, pedir as coisas, oferecer a liberdade, falar por si, buscar a negociação e, acima de tudo, amar as pessoas. Se colocar esses princípios em prática, posso garantir que o relacionamento com esses parentes será fortalecido. Você pode até estabelecer uma amizade genuína com eles.

Se você considerar úteis essas diretrizes, espero que venha a compartilhá-las com seus amigos. É provável que eles também estejam lutando com problemas no relacionamento com os parentes. Acredito que os princípios descritos neste livro podem ajudar milhares de casais a desenvolver relações positivas com os parentes do marido e da esposa. Se isso acontecer, eu ficarei muito feliz.

Algumas coisas que vale a pena lembrar

- O propósito de ouvir é descobrir o que se passa na mente e no coração das pessoas. Se entendermos o motivo que as leva a fazer o que fazem, nossas reações poderão ser mais adequadas.
- Os relacionamentos são desenvolvidos à medida que as pessoas procuram compreender umas às outras. As interrupções e as discussões os destroem.
- Declarações afirmativas não significam necessariamente que você concorda com as coisas que essa pessoa disse. Indicam apenas que você ouviu por tempo suficiente para ver o mundo por meio dos olhos dela e entender que, em sua mente, a maneira de agir dela faz sentido. Você está afirmando a humanidade dessa pessoa, dando-lhe o direito de pensar e sentir as coisas de maneira própria, diferente da dos outros.
- O respeito me leva a reconhecer que os parentes de meu cônjuge têm direito à mesma liberdade que Deus concede a mim e a todos os seres humanos: a liberdade de ser diferente. Portanto, não tentarei impor minha opinião sobre essas pessoas. Em vez disso, quando eu tiver de confrontá-las por algum motivo, buscarei uma solução que demonstrará o meu respeito por nossas diferenças.

- As diferenças religiosas costumam se tornar fator de divisão durante o casamento. Elas também podem criar barreiras para um relacionamento pleno com sogros, genros, noras e cunhados.
- A invasão de privacidade é uma área de freqüentes conflitos entre o casal e os parentes de cada cônjuge. Entretanto, quando o jovem casal demonstra respeito pelas intenções dos pais e parentes e compartilha abertamente suas frustrações, a maior parte dos problemas pode ser resolvida.
- A pessoa madura está sempre buscando a sabedoria, mesmo que venha das palavras da sogra. Quando os pais e outros parentes de um ou de outro cônjuge fazem sugestões, suas propostas devem ser devidamente consideradas. Afinal de contas, eles são mais velhos e, talvez, mais sábios do que nós.
- É necessário aprender a respeitar as peculiaridades dos parentes do cônjuge quando buscamos harmonia no relacionamento com eles. Na verdade, se tivéssemos de brigar com essas pessoas a cada questão que nos aborrece, passaríamos o resto da vida em um campo de batalha.
- Quando começamos uma frase com "você", falamos como se tivéssemos o conhecimento definitivo da situação. Na realidade, estamos apenas expressando nossa percepção a respeito da pessoa. Tais declarações são recebidas como condenatórias, e é provável que venham a estimular uma reação defensiva por parte dos parentes do cônjuge.
- Quando você fala por si, suas declarações têm legitimidade. Está revelando os *seus* pensamentos, os *seus* sentimentos, os *seus* desejos e as *suas* percepções. "Eu acho..."; "Eu sinto..."; "Eu gostaria..."; "Minha percepção a respeito disso é..." Todas essas declarações são válidas porque revelam o que está se passando em *seu* interior. Você está falando por si.

- Negociar é discutir uma questão com o objetivo de chegar a um acordo. A negociação é o oposto da obstinação e do ressentimento. Quando negociamos, estamos optando por crer que há uma resposta e, com a ajuda de Deus, nós a encontraremos.
- Não podemos obrigar os parentes do cônjuge a fazer o que acreditamos ser "a coisa certa". Podemos e devemos fazer pedidos a eles. Se queremos alguma coisa, isso deve ser verbalizado.
- A maior dádiva que os pais podem oferecer aos filhos casados é o dom da liberdade.
- O amor não é um sentimento. Trata-se de uma atitude, um comportamento, uma forma de pensar. O amor é a atitude que declara: "Escolho cuidar de seus interesses. De que maneira posso ajudar você?". Uma atitude de amor conduz a um comportamento igualmente amoroso.
- O relacionamento dos cônjuges com seus parentes pode ser melhorado ou piorado dependendo de como um fala com o outro. Usar palavras ofensivas ou falar alto torna as coisas mais complicadas, ao passo que o uso de termos carinhosos e gentis facilita tudo.
- Não podemos esperar que todas as nossas diferenças sejam resolvidas da noite para o dia ou com um simples bate-papo. É preciso tempo e perseverança para entender o ponto de vista dos outros e negociar alternativas para as diferenças. Trata-se não só de um processo contínuo, mas é também a essência, o ponto crucial de nossos relacionamentos.

Compartilhe suas impressões de leitura escrevendo para:
opiniao-do-leitor@mundocristao.com.br
Acesse nosso *blog*: www.mundocristao.com.br/blog

Diagramação: Triall Composição Editorial Ltda
Fonte: Minion
Gráfica: Imprensa da Fé
Papel: Sp bright 70g/gm² (miolo)
Cartão royal 250/gm² (capa)